# 50 exercices

## POUR GÉRER SES ÉMOTIONS

Diplômée en sciences humaines et en art lyrique, Valérie Di Daniel est spécialisée en communication orale et relationnelle et en gestion du stress. Elle anime Della Vocce, une société montpelliéraine de formation et de conseil en entreprise sur ces thématiques. Son approche est basée sur une méthode psycho-corporelle.

Avec la collaboration de Jessie Magana.

**Catalogage avant publication de Bibliothèque et Archives nationales du Québec et Bibliothèque et Archives Canada**

Di Daniel, Valérie, 1962-
    50 exercices pour gérer ses émotions
    (50 exercices)
    Édition originale : Paris : Eyrolles, 2012.
    Comprend des références bibliographiques.
    ISBN 978-2-89568-622-4
    1. Émotions. 2. Intelligence émotionnelle. 3. Maîtrise de soi. I. Titre. II. Titre : Cinquante exercices pour gérer ses émotions.

BF532.D52 2014    152.4    C2013-942549-7

Couverture, adaptation de la grille graphique intérieure et mise en pages : Axel Pérez de León

Nous remercions la Société de développement des entreprises culturelles du Québec (SODEC) du soutien accordé à notre programme de publication.
Tous droits de traduction et d'adaptation réservés ; toute reproduction d'un extrait quelconque de ce livre par quelque procédé que ce soit, et notamment par photocopie ou microfilm, est strictement interdite sans l'autorisation écrite de l'éditeur.

© 2012, Groupe Eyrolles, Paris, France, pour l'édition française originale
© 2014, Éditions du Trécarré pour l'édition en langue française au Canada

Les Éditions du Trécarré
Groupe Librex inc.
Une société de Québecor Média
1055, boul. René-Lévesque Est, bureau 300
Montréal (Québec) H2L 4S5
Tél. : 514 849-5259
www.edtrecarre.com

**Distribution au Canada**
Messageries ADP
2315, rue de la Province
Longueuil (Québec) J4G 1G4
Tél. : 450 640-1234
Sans frais : 1 800 771-3022
www.messageries-adp.com

Dépôt légal – Bibliothèque et Archives nationales du Québec et Bibliothèque et Archives Canada, 2014

ISBN : 978-2-89568-622-4

Valérie Di Daniel

# 50 exercices

## POUR GÉRER SES ÉMOTIONS

TRÉCARRÉ

# Sommaire

# Introduction

Nous sommes traversés chaque jour par nos émotions. Elles font partie de notre paysage interne. La plupart du temps, nous les rangeons en deux catégories : les émotions positives et les émotions négatives. Nous aimons et recherchons les premières et nous subissons ou fuyons les secondes. Or elles ont toutes une fonction et leur utilité.

Nos émotions font partie de notre vie, de notre condition humaine. Mais nous n'en comprenons pas toujours le sens et pouvons nous trouver démunis face à la confusion dans laquelle elles nous plongent parfois. Ignorées ou envahissantes, les émotions peuvent provoquer souffrance personnelle et difficultés relationnelles. Pourtant, elles nous renseignent sur ce que nous vivons et sur notre environnement. Hôtes de passage lucides et aidants, elles viennent nous délivrer un message que nous gagnerions à entendre… Les neurosciences ont beaucoup apporté sur ce sujet depuis ces dix dernières années.

Éduquer notre relation à nos émotions est un sésame pour le bonheur : celui de ne plus subir la vie et de choisir son destin. Savoir gérer ses émotions, c'est mieux se connaître et devenir capable de s'ajuster intérieurement et extérieurement aux situations. C'est choisir la manière dont nous allons nous comporter, devenir maître de nous-même en toutes circonstances et accomplir enfin tout ce que nous voulons.

On ne gère pas les émotions, on se gère soi-même lorsque les émotions sont là ! Adopter ce point de vue est essentiel pour parvenir à une bonne gestion des émotions.

Apprendre, dès le plus jeune âge, à reconnaître et apprivoiser les émotions et à nous gérer à travers elles est une étape fondamentale dans la construction de soi, une condition essentielle à notre épanouissement et à notre bien-être futur, un atout capital pour tisser des relations de qualité, réaliser ses desseins profonds et célébrer la vie… Cultivons donc notre sens de l'observation, sachons être curieux des émotions qui s'expriment, pour mieux nous comprendre et nous sentir vivants. L'émotion, c'est la vie en couleur et animée !

# Avertissement

Travailler sur ses émotions implique d'accepter qu'elles se manifestent et s'activent pendant la lecture de ce livre.

Cela nécessite d'entrer délibérément dans une démarche d'exploration de soi-même. Vous allez découvrir des choses nouvelles à propos de vous-même, de ce que vous ressentez, de qui vous êtes et de ce que vous voulez. Après avoir lu et pratiqué les exercices qui suivent, vous ne serez plus tout à fait le/la même qu'avant. Vous aurez cheminé un peu plus loin intérieurement.

Rappelez-vous que :

1. Les émotions ne sont ni bonnes ni mauvaises en soi.

2. Vous n'êtes pas l'émotion, vous êtes traversé par l'émotion.

Accepter ces deux principes est la première condition pour progresser.

Il vous faudra ensuite devenir observateur de ce qui se passe, pendant que vous faites l'exercice, mais également lorsque vous rencontrez l'émotion dans votre vie quotidienne.

Aussi, je vous invite à être bienveillant et patient. Et plus que tout, je vous demande de ne pas juger ce qui se passe. Retenez-vous de poser des étiquettes duelles : c'est bien/bon ou pas bien/pas bon. Adoptez l'attitude du «c'est, tout simplement», la posture de l'observateur neutre qui voit et reconnaît sans porter de jugement.

Je vous recommande de lire ce livre et de pratiquer les exercices dans l'ordre proposé. Ils vont vous permettre de suivre progressivement le processus pour arriver à la phase finale : une plus grande maîtrise de vous-mêmes. N'oubliez pas que c'est l'expérience que vous ferez sur le chemin qui vous préparera le mieux à atteindre votre but.

Procédez avec douceur, dans le respect de vous-même, de votre ressenti, de vos perceptions et sensations, et en tenant compte de vos capacités de compréhension du moment.

Cheminez dans votre développement avec légèreté et joie, en abordant chaque exercice avec curiosité. Vous en tirerez de plus grands bénéfices.

Prenez l'habitude de noter vos observations, vos ressentis, votre compréhension de la situation dans les espaces proposés, vous pourrez ainsi suivre votre évolution.

N'hésitez pas également à faire des pauses avant de passer à l'exercice suivant, si vous l'estimez utile. Ces périodes de récupération sont nécessaires et favorables à un travail en profondeur.

Laissez le processus s'effectuer tranquillement. Vous avez attendu jusqu'à aujourd'hui, vous n'êtes pas à deux ou trois semaines près.

Si un exercice provoque une émotion trop forte, arrêtez-le tout simplement. Vous le reprendrez plus tard, lorsque vous serez prêt.

Enfin, savourez un grand verre d'eau à la fin de chaque série d'exercices et bougez un peu (étirements, mouvements). Travailler sur les émotions consomme beaucoup d'énergie mentale : boire et bouger vous permettra de la renouveler.

Belles pratiques à tous !

# 1

•

# Je fais le point

Apprendre à se connaître est un des buts essentiels de l'existence. Chaque jour, nous faisons l'expérience de nous-même dans notre corps, notre esprit et nos émotions.

Afin de pouvoir progresser dans la maîtrise de nos émotions, il convient de commencer par nous arrêter puis observer. De là, nous allons pouvoir examiner plus en détail notre fonctionnement émotionnel : ce qui déclenche nos émotions, comment cela se traduit dans notre corps, nos perceptions, et enfin ce que notre mental en fait.

Ce diagnostic sera le point de départ, qui nous permettra ensuite d'aller plus loin en pratiquant les exercices proposés.

# Exercice •1• Y'a de la joie

Nous associons souvent aux émotions les excès, les débordements et leurs désagréments. Curieusement, nous les oublions plus facilement quand elles s'expriment en positif… Est-ce votre cas ?

 Essayez de nommer trois émotions positives en les associant à des situations récemment vécues. Puis décrivez leurs effets sur vous et sur votre environnement.

| Situation | Émotion | Effet sur vous | Effet sur l'environnement |
|---|---|---|---|
| Mes amis m'ont réservé un apéro surprise pour mon anniversaire. | Joie. | Cela m'a fait très plaisir. Je me suis senti aimé et entouré. | Nous avons passé une excellente soirée. |
| Déjeuner Fais par les filles | apprécier Souts'de l'amour | senti aimé et Bien | plaisir Toute Ensemble |
| Rendre Service | apprécier et aimé | Bien être intérieure | joie |
| Rendre Service à Sinda | bien et content | Bien être intérieure | paix partout |

## Commentaire

En prenant l'habitude de faire le point quotidiennement sur vos émotions et sentiments positifs de la journée (joie, liberté, amour, appréciation, enthousiasme, satisfaction, bonheur, émerveillement, sécurité, espoir…), vous allez renforcer votre estime et votre confiance. Vous allez développer votre pensée créatrice positive. Trois émotions et sentiments positifs ressentis et vécus chaque jour contribuent à votre bien-être.

## Exercice •2• Panique à bord

Les émotions et sentiments négatifs nous font perdre notre équilibre interne. Vous connaissez bien cette sensation en vous qui vous indique que vous êtes touché. Allons l'explorer !

Essayez de nommer trois émotions négatives en les associant à des situations récemment vécues. Puis décrivez leurs effets sur vous et sur votre environnement.

| Situation | Émotion | Effet sur vous | Effet sur l'environnement |
|-----------|---------|----------------|---------------------------|
| Je suis débordé au travail. | Irritation. | Je suis stressé, nerveux. | Je réagis au quart de tour avec les autres. |
|  |  |  |  |

| Situation | Émotion | Effet sur vous | Effet sur l'environnement |
|-----------|---------|----------------|---------------------------|
|           |         |                |                           |
|           |         |                |                           |

## Commentaire

Savoir identifier, grâce à une situation, vos émotions et sentiments négatifs (angoisse, peur, culpabilité, jalousie, rage, colère, découragement, inquiétude, doute, impatience) et l'impact qu'ils ont sur vous et votre environnement, va vous permettre de reprendre le pouvoir sur vous-même et d'envisager les solutions pour revenir dans un état interne équilibré.

## Exercice •3• Dans tous les sens

Nous interagissons tous différemment à notre environnement, et cela peut être amplifié par notre émotivité. Elle nous fait réagir avec excès. Les messages du corps nous renseignent, ils sont un premier indicateur pour reconnaître que quelque chose se passe.

 Essayez de vous rappeler les trois dernières fois où votre émotivité a été déclenchée, puis décrivez ce qui s'est passé pour vous.

| Émotivité déclenchée | Situation | Déclencheur | Impact sur vous |
|---|---|---|---|
| Ma voix tremble, mes mains sont moites. | Me présenter devant un groupe que je ne connais pas. | Le regard et l'attention des autres sur moi. | J'ai peur de ne pas être à la hauteur… Je ne me sens pas fort. |
| | | | |
| | | | |
| | | | |

## Commentaire

Un regard, l'attention que l'on nous porte, un mot, une phrase, un geste peuvent déclencher en nous un vrai désordre vécu comme très désagréable (rougissement, transpiration, tremblements, douleur abdominale, étau dans la poitrine, dans la nuque, contractions musculaires…).

Face à une situation d'évaluation ou à un enjeu de performance, si nous sommes dans la crainte, l'appréhension ou la peur, le cerveau va libérer des hormones (adrénaline et noradrénaline) qui vont préparer le corps et l'esprit à faire face au danger (fuite ou attaque).

C'est un processus normal, mais le danger ressenti est une pure illusion, une hallucination de notre esprit, puisque nous ne sommes pas menacés.

La personne émotive qui ne se raisonne pas laisse le processus s'emballer. Ce qui va déclencher une véritable tempête émotionnelle et physique qui conduit à la contre-performance. Ce résultat vient renforcer sa croyance initiale qui dit qu'elle n'est pas à la hauteur, pas assez forte, trop émotive…

Ce qu'on peut retenir ici, c'est que tout cela est une pure fiction. La peur de nos sensations physiques et la méconnaissance du fonctionnement neurophysiologique nous conduisent à des excès émotionnels. Il est donc essentiel d'en apprendre un peu plus sur le fonctionnement des émotions et de savoir réguler le processus dès qu'il se manifeste.

# Exercice •4• Mon sens dominant

Cinq sens sont à notre disposition. Nous avons toutes et tous un sens dominant par lequel nous traduisons (expérience subjective) notre compréhension de l'environnement extérieur (paysages, personnes, situations)… Visuel, auditif et kinesthésique sont les sens les plus représentés dans la population mondiale. Odorat et goût concernent un pourcentage moins élevé.

> Pour chacune des propositions suivantes, cochez celle qui vous correspond le mieux.

**1.** Pendant votre temps libre, vous préférez…

**A)** Écouter de la musique.

**B)** Lire des magazines, des livres, regarder un film.

**C)** Courir, pratiquer un sport.

## 2. Lorsque vous parlez à quelqu'un :

**A)** Vous touchez votre oreille.

**B)** Vous regarder la personne dans les yeux tout le temps.

**C)** Vous regardez vers le bas.

## 3. Votre voix est…

**A)** Timbrée et votre parole est bien rythmée.

**B)** Aiguë et votre parole est rapide.

**C)** Grave et votre parole est lente.

## 4. Lorsque vous parlez, généralement vous…

**A)** Aimez les longues conversations animées.

**B)** N'aimez pas rester sur le même thème pendant des heures.

**C)** Aimez une conversation vivante mais pas trop longue.

## 5. Lorsque vous planifiez quelque chose :

**A)** Vous voulez discuter tous les détails avec votre interlocuteur.

**B)** Vous avez une vue d'ensemble du projet.

**C)** Vous restez fidèle à l'idée initiale du projet.

## 6. Vos mouvements sont plutôt :

**A)** D'un rythme normal.

**B)** Rapides.

**C)** Lents.

## 7. Lorsque vous pensez à quelque chose, vos yeux font des mouvements plutôt :

**A)** Au centre.

**B)** Vers le haut.

**C)** Vers le bas.

**8.** Lorsque vous n'êtes pas d'accord avec quelqu'un, vous dites :

**A)** Ça ne sonne pas très juste.

**B)** Je ne vois pas le rapport.

**C)** Je ne le sens pas.

**9.** Vous arrivez dans un nouvel endroit, vous êtes sensible en premier lieu :

**A)** Aux sons et aux mots.

**B)** Aux formes et aux couleurs.

**C)** À l'ambiance.

**10.** Face à l'inactivité :

**A)** Vous parlez ou vous allez parler à d'autres.

**B)** Vous fixez quelque chose ou regardez autour de vous.

**C)** Vous bougez, trouvez de quoi vous occuper.

## Analyse des résultats

Reportez le nombre de réponses pour chaque lettre.

Nombre de A : _____

Nombre de B : _____

Nombre de C : _____

Le total le plus élevé correspond à votre mode de perception dominant : A = auditif ; B = visuel ; C = kinesthésique[1].

### Visuel est votre sens dominant

Vous vivez dans un univers d'images, de formes et de couleurs.

Vous utilisez des expressions : c'est clair, c'est sombre, c'est obscur pour moi, c'est flou, c'est lumineux, je vois, tu vois…

Vous avez le sens de l'observation, de l'orientation et de la répartie, vous êtes physionomiste. Vous êtes toujours bien habillé. Vous avez

---

1. Ce test rapide vous apporte une première indication. Si ce sujet vous intéresse, il serait pertinent de procéder à une étude plus approfondie pour définir avec précision votre profil.

besoin de regarder pour apprendre, comprendre et mémoriser. Vous aimez regarder l'autre dans les yeux lorsque vous parlez et écoutez. Vous êtes imaginatif et créatif. Vous êtes sensible au décor qui vous entoure, ce qui peut parfois vous mettre mal à l'aise. Vous êtes soucieux de l'image pour vous-même et pour les autres, ce qui peut vous conduire à juger sur les apparences. En faisant appel à votre dialogue intérieur, vous pourrez mieux appréhender la réalité des situations.

## Auditif est votre sens dominant
Vous vivez dans un univers de sons.

Vous utilisez des expressions comme : je ne suis pas sourd, cela ne sonne pas juste, c'est silencieux, j'ai bien entendu, j'entends, ça me parle…

Vous reconnaissez et appréciez les personnes au son de leur voix. Vous utilisez des mots précis qui traduisent bien votre pensée. Lorsque vous discutez avec quelqu'un, vous le regardez très peu dans les yeux. Vous écoutez la tête penchée. Votre voix est agréable. Vous appréciez la musique ; vous fredonnez et vous chantez naturellement. Votre dialogue intérieur très actif peut déformer la réalité, soyez attentif ! Utilisez le canal visuel et kinesthésique pour avoir une compréhension plus complète de la réalité.

## Kinesthésique est votre sens dominant
Vous vivez dans un univers de sensations et d'impressions instinctives.

Vous utilisez des expressions en rapport avec les verbes de mouvement : bouger, sauter, aller de l'avant… Et des expressions liées au sensoriel et émotionnel : j'ai la chair de poule, c'est calme, je frissonne, c'est vibrant, vous avez saisi ?

Vous êtes chaleureux et mettez les autres à l'aise car vous les comprenez d'instinct. On vous apprécie pour cela. Vous êtes très décontracté. Votre voix est grave et calme. Vous avez du bon sens et ceux qui n'en ont pas vous agacent. Vous êtes fidèle en amitié et vos sentiments sont solides et stables. Vous ne trichez pas avec vos sentiments, si vous êtes déçu, cela peut être définitif.

Vous êtes très sensible aux ambiances, vous aimez le confort et vous pouvez être facilement dérangé par une situation ou une ambiance inconfortable. Pour sortir des sensations négatives et désagréables, vous pouvez utiliser votre perception visuelle et auditive. Ouvrez-vous à toute la réalité !

# Exercice •5• Mes meilleures ennemies

Nous sommes traversés par des milliers de pensées chaque jour. Lorsque nous vivons une émotion, des pensées s'associent instantanément à cette émotion malgré nous. Elles vont la renforcer, provoquer une attitude et affermir une croyance. Nos pensées peuvent nous conduire au-delà du raisonnable. Commençons par leur porter un peu d'attention pour identifier leur activité.

Dans les prochains jours, observez puis nommez les pensées immédiates qui vous traverseront lorsque vous vivrez une émotion, qu'elle soit positive ou négative. Puis vous observerez ce que vous avez envie de faire ou de dire.

| Jour | Situation | Émotion | Pensée associée | Comportement adopté | Émotion induite |
|------|-----------|---------|-----------------|---------------------|-----------------|
| Jour 1 | Un ami m'offre un livre sur un sujet qui me passionne. | Je suis heureux. | Je pense : « Il me connaît vraiment bien, je l'aime/et aussi/c'est génial, je vais passer un bon moment à lire ce livre ! » | Je choisis de partager avec mon ami ce que je viens de penser pour valoriser son geste et notre amitié. | Je suis ému de lui dire combien son geste me touche. |
| Jour 2 | J'entre dans un restaurant pour déjeuner, le plat qu'on me sert n'est pas frais, c'est du réchauffé. | Je suis vraiment déçu et mécontent. | Je pense : « Ce restaurant est nul ! » | Je dis au serveur ce que j'en pense et j'attends ses excuses et un geste commercial. | Je bous intérieurement, je suis prêt à exploser. |

| Jour | Situation | Émotion | Pensée associée | Comportement adopté | Émotion induite |
|------|-----------|---------|-----------------|---------------------|-----------------|
| Jour 1 | | | | | |
| Jour 2 | | | | | |
| Jour 3 | | | | | |

| Jour | Situation | Émotion | Pensée associée | Comportement adopté | Émotion induite |
|------|-----------|---------|-----------------|---------------------|-----------------|
| Jour 4 | | | | | |
| Jour 5 | | | | | |
| Jour 6 | | | | | |
| Jour 7 | | | | | |

## Commentaire

Nous agissons la plupart du temps de façon inconsciente. Nous pouvons être volontairement aveugles face à une situation inconfortable ou incommode. Nous pouvons également l'appréhender à l'envers.

Le dialogue intérieur que nous entretenons avec nous-mêmes est permanent. Si nous le laissons sans surveillance, il conditionne notre comportement et nos interactions sans notre accord. Il exacerbe l'impact de nos émotions sur nous-mêmes et peut affecter notre relation avec l'autre.

Apprenons à observer nos pensées pour commencer à les choisir consciemment. Accueillir l'émotion et choisir ses pensées, plutôt que de se prendre pour elles et de réagir.

## Exercice •6• Faites un pacte

Nous avons l'habitude de nous fixer des buts : partir cet été en vacances à Bali, acheter un canapé, aller voir un spectacle en famille, demander une augmentation, trouver du travail, inviter nos amis à dîner… Nous en parlons naturellement avec les autres et nous fixons toujours une date pour les réaliser. Pour vos buts personnels de développement, la même méthode s'applique. Il vous faut faire preuve d'honnêteté envers vous-même et reconnaître qu'il y a une partie de vous que vous voulez changer, prendre la décision et l'écrire. Puis prendre la pleine responsabilité de votre succès et poser une date. C'est le meilleur moyen de l'atteindre !

Définissez ce que vous souhaitez savoir bien gérer à propos de vos émotions, puis datez quand vous prévoyez que ces buts seront atteints, enfin faites-le savoir à quelqu'un en qui vous avez une confiance totale dans votre entourage, pour sceller votre décision.

| Mes trois buts précis | Date | Je le scelle avec |
|---|---|---|
| Je choisis d'affronter ma peur de parler en public. | Fin décembre 2012. | Ma meilleure amie Sylvie. |
| | | |
| | | |
| | | |

## Commentaire

Une fois vos objectifs écrits, datés et annoncés, vous pourrez les dire à voix haute et les relire, vous les visualiserez comme si vous y étiez. Cela vous permettra de les rendre actifs et de vous rappeler de vous en occuper.

Sceller votre décision permet de rendre visible votre but. Vous l'avez fait connaître, l'autre va donc vous regarder et vous demander où vous en êtes (comme il pourrait le faire pour n'importe quel autre but moins intime : les vacances, le travail, le spectacle…).

Communiquer sur votre but vous aide à l'atteindre.

# 2

·

# Nos trois cerveaux

«Semez une pensée, vous récolterez une action.
Semez une action, vous récolterez une habitude.
Semez une habitude, vous récolterez un caractère.
Semez un caractère, vous récolterez une destinée.»
Swami Sivananda

Les ressources dans lesquelles nous puisons pour diriger et améliorer nos existences ne sont pas exclusivement mentales. Toute action (visualisation, relaxation, sons, yoga, exercices, respirations…) visant le corps va engendrer des modifications des émotions, donc de la pensée et par conséquent de votre destinée.

Si le cerveau est constitué de 100 milliards de neurones, comme vous le saviez probablement, le ventre et le cœur en possèdent aussi. Nous avons ainsi à notre disposition deux autres centres nerveux autonomes. Si chacun utilisait les ressources de ces trois centres, nous assisterions à une évolution significative des potentiels individuels menant à l'accomplissement et au succès. Rien de neuf pourtant, les grands champions sportifs utilisent ces méthodes depuis fort longtemps!

Les exercices suivants vont réveiller le fonctionnement des deux autres centres à votre disposition pour bénéficier d'un meilleur équilibre global.

# Exercice •7• *Gut feeling*[2]

Les expressions «avoir du cœur au ventre», «l'estomac noué», «la peur au ventre», «avoir du mal à digérer une expérience» disent bien le lien entre les émotions et le ventre. Savez-vous entendre les messages qu'il vous envoie?

Assurez-vous que vous ne serez pas dérangé pendant votre exercice. Installez-vous confortablement dans un fauteuil ou un canapé, vos pieds en contact avec le sol, les paumes de vos mains tournées vers le ciel, les yeux fermés, et suivez les étapes ci-dessous.

**1.** Respirez naturellement par le nez, sans effort, votre mâchoire est desserrée, la pointe de votre langue est posée sur votre palais, derrière les dents du haut.

**2.** Portez votre attention sur le mouvement de votre respiration, observez ce balancement régulier qui s'anime doucement à l'intérieur de vous.

**3.** Observez votre ventre, ressentez-le: douleurs, poids, brûlure, serrage, légèreté, fluidité… et remarquez les pensées associées (images, mots…).

**4.** Visualisez, au centre de votre ventre, une sphère. Observez comment cette sphère s'anime sous le mouvement de votre respiration. Observez sa couleur, son intensité, sa taille, sa texture, son mouvement, son rythme, son rayonnement…

**5.** Appréciez les sensations et perceptions liées à cette visualisation.

**6.** Peu à peu, à votre rythme, revenez au contact de la pièce, étirez-vous, ouvrez les yeux et prenez une profonde respiration.

---

2. «*Feeling* du ventre», généralement traduit par «pressentiment».

**7.** Buvez un verre d'eau puis retournez à vos occupations quotidiennes.

## Commentaire

En accordant votre attention à votre ventre, vous avez commencé à le regarder, à le ressentir, à établir un dialogue pour mieux comprendre ses messages. Au sortir de cet exercice, votre rythme interne devient plus équilibré et votre efficacité renouvelée. Au fur et à mesure que vous vous essaierez à cette relaxation, vous trouverez le temps de pratique qui vous convient.

Votre ventre est un centre «intelligent». Il comporte 100 millions de neurones, produit 70 % de nos cellules immunitaires, sécrète au moins 20 neurotransmetteurs identiques à ceux de notre cerveau et 95 % de la sérotonine, neurotransmetteur qui influence les «états d'âme», hormone du bonheur.

Le «*gut feeling*» ou «*feeling* du ventre», c'est la capacité à agir et à utiliser cette force vitale qui se trouve dans notre ventre. Elle nourrit notre volonté, notre endurance, notre persévérance et notre intuition, en nous indiquant, en outre, si une situation est bonne ou pas, une personne fiable ou pas.

Lorsque votre ventre «parle», il vous donne une indication précieuse sur ce que vous avez à gérer en ce moment et que vous percevez comme difficile ou délicat. Écoutez la sensation, traduisez-la par : «Je ressens un poids… Ça me brûle l'estomac… J'ai une crampe…», puis demandez-vous ce qui vous pèse, ce que vous avez du mal à digérer, ce qui contracte ou vous paralyse, en ce moment.

Le ventre est le centre de la vitalité. C'est là que se trouve votre «feu intérieur», celui qui vous donne l'élan du mouvement vers l'avant, l'impulsion d'agir.

# Exercice •8• Capital cœur

«Cette situation me fend le cœur», «me fait mal au cœur», «j'ai à cœur de bien faire», «il a du cœur», «j'ai le cœur gros, j'ai le cœur lourd» : dans le langage courant, le lien entre émotions et cœur n'est plus à faire… Nous comprenons et agissons aussi à partir du «cœur», qui possède un système de guidance spécifique.

Assurez-vous que vous ne serez pas dérangé pendant votre exercice. Installez-vous confortablement dans un fauteuil ou un canapé, vos pieds en contact avec le sol, les paumes de vos mains tournées vers le ciel, les yeux fermés et suivez les étapes ci-dessous.

**1.** Respirez naturellement par le nez, sans effort, la mâchoire desserrée et la pointe de la langue posée contre le palais. Portez votre attention sur le mouvement de votre respiration, observez ce balancement régulier qui s'anime doucement à l'intérieur de vous.

**2.** Portez maintenant votre attention sur votre cœur, cet organe qui se trouve au centre de votre poitrine. Cherchez à entrer en contact avec lui et à percevoir sa forme, sa couleur, sa taille, sa texture (dur, mou, chaud, froid…), son rythme, son mouvement, son rayonnement…

**3.** Puis, observez l'espace interne de votre poitrine, ressentez si cet espace est fluide, ouvert, confortable, léger… Explorez, ressentez… Accueillez toutes les sensations et perceptions qui se présenteront.

**4.** Profitez de la détente qui s'est s'installée progressivement dans la totalité de votre corps. Savourez cette sensation pendant quelques instants.

**5.** Peu à peu, revenez au contact de la pièce, étirez-vous, ouvrez les yeux et prenez une profonde respiration. Buvez un verre d'eau puis retournez à vos occupations quotidiennes.

## Commentaire

Dialoguer avec votre cœur, c'est vous mettre en contact visuel et sensoriel avec lui. De visite en visite, vous gagnerez confiance dans votre relation avec lui. Vous allez développer plus de compassion et d'amour pour vous-même, pour les autres. Confronté à des situations délicates, vous allez commencer à accueillir l'émotion qui se présente et à répondre de manière plus adaptée et plus sereine au lieu de réagir par l'attaque, la fuite, la panique ou l'inhibition.

Votre cœur est un organe « intelligent ». Ses 40 000 neurones communiquent avec le cerveau limbique (le cerveau émotionnel).

# Exercice •9• Je pense donc je panique

Cœur battant, mains moites, pétillement, rougissement, léger vertige, gorge qui se serre, envie de crier… ces manifestations physiques indiquent le passage d'une émotion. Devenez attentif.

Durant les prochains jours, observez et nommez les sensations physiques qui annoncent l'émotion. Essayez de déchiffrer le message que l'émotion vous apporte.

| Jour | Sensation physique associée | Émotion | Situation | Message de l'émotion |
|------|------|------|------|------|
| Jour 1 | 1. Pétillement dans la poitrine et la tête. 2. Élan qui me pousse vers l'avant et le haut. 3. Envie de crier pour libérer cette poussée d'énergie qui me traverse. | Joie. | Ma compagne crée son activité, celle qui lui permet de valoriser son talent. | Je suis joyeux de la voir profondément heureuse et épanouie. |
| Jour 1 | | | | |

| Jour | Sensation physique associée | Émotion | Situation | Message de l'émotion |
|---|---|---|---|---|
| Jour 2 | | | | |
| Jour 3 | | | | |
| Jour 4 | | | | |
| Jour 5 | | | | |
| Jour 6 | | | | |
| Jour 7 | | | | |

## Commentaire

L'émotion provoque une réaction physiologique qui libère des molécules telles que la dopamine (associée au plaisir), l'adrénaline (associée à la peur et la colère), la sérotonine (associée à la sérénité), l'ocytocine (associé aux sentiments de l'amour), le cortisol (associé au stress) et bien d'autres. Cette chimie du corps provoque des sensations physiques, comme un frisson de joie ou de terreur.

Apprendre à décoder vos sensations physiques est une façon simple et immédiate d'entrer en contact avec vos émotions. Ensuite, vous poursuivez par la reconnaissance de l'émotion associée, puis vous terminez par le message qu'elle vient vous apporter. De cette manière, vous suivez un processus fiable qui vous conduit à reconnaître vos émotions. C'est la première étape pour parvenir à les maîtriser.

# Exercice •10• Pensées négatives

Sans qu'on sache pourquoi, une situation en apparence anodine nous plonge dans l'embarras émotionnel le plus total. Nous nous sentons mal, tristes, honteux ou en colère. Nos pensées ne sont pas étrangères à l'affaire…

Remémorez-vous deux situations de malaise émotionnel. Décrivez-les dans la colonne de gauche et essayez de lister dans la colonne de droite les pensées qui vous traversaient alors l'esprit. Enfin, observez la prochaine émotion inconfortable qui se présentera et identifiez les pensées qui s'y rattachent.

| Situation de malaise émotionnel passée | Pensée |
|---|---|
| La semaine dernière, j'ai croisé un ancien collègue dans la rue ; il ne m'a pas salué. Je me suis senti triste. | En reconnaissant cet ami, je me suis rappelé le climat délétère qui régnait dans mon ancienne entreprise où j'avais l'impression qu'on me maintenait à l'écart. J'ai pensé : il ne m'aime pas. |
|  |  |
|  |  |

| Situation de malaise émotionnel présente | Pensée |
|---|---|
|  |  |

## Commentaire

Il y a une relation entre ce que l'on perçoit de notre environnement (expression du visage, bruit, situation…) et l'arrivée d'une émotion inconfortable. La pensée crée sans cesse des connexions, puisant dans le réservoir des souvenirs et de la mémoire (le passé), dans nos désirs (futur) et dans nos valeurs et principes. Une pensée négative libère une molécule de cortisol qui déclenche du stress. Le processus est très bien rodé.

Vous comprenez donc que, la plupart du temps, ce n'est pas la situation qui est en réalité stressante, mais davantage la perception de la situation et les pensées associées qui vont provoquer du stress, de l'anxiété, de la colère…

# Exercice •11• La poussée positive

Une perception négative de la situation invite des émotions négatives… et vice versa. Vous tenez là un premier antidote!

Dans les prochains jours, pour chaque pensée négative identifiée à l'exercice précédent, essayez de créer une pensée de poussée positive.

| Jour | Pensée négative | Pensée de poussée positive |
|------|-----------------|----------------------------|
| Jour 1 | J'ai pensé : il ne m'aime pas. | Il est distrait, il est dans ses pensées, il ne m'a pas vu. |
| Jour 1 | | |
| Jour 2 | | |

| Jour | Pensée négative | Pensée de poussée positive |
|------|-----------------|----------------------------|
| Jour 3 | | |
| Jour 4 | | |
| Jour 5 | | |
| Jour 6 | | |
| Jour 7 | | |

## Commentaire

Pour acquérir une bonne maîtrise dans la gestion de ses émotions, il est essentiel de savoir créer immédiatement une pensée de poussée positive pour contrecarrer la pensée négative qui se présente. Il faut apprendre à penser et ressentir positif vite !

En maîtrisant nos pensées, nous dialoguons différemment avec nous-même et avec les autres. Ce dialogue concerne le corps, les émotions, les pensées et notre expression. Tout est lié !

# Exercice •12• Le puits des ressources

Vous savez maintenant que vous avez à votre disposition trois centres de commandes pour devenir maître de vous-même.

Dans cet exercice, vous allez pouvoir les activer, afin de les rendre disponibles pour votre journée.

Assurez-vous que vous ne serez pas dérangé pendant votre exercice. Installez-vous confortablement dans un fauteuil ou un canapé, vos pieds en contact avec le sol, les paumes de vos mains tournées vers le ciel, les yeux fermés et suivez les étapes ci-dessous.

**1.** Respirez naturellement par le nez, sans effort, la mâchoire desserrée et la pointe de la langue posée contre le palais. Portez votre attention sur le mouvement de votre respiration, observez ce balancement régulier qui s'anime doucement à l'intérieur de vous.

**2.** Grâce à l'expiration, facilitez la détente de vos muscles fessiers, des muscles et articulations de vos jambes : cuisses, genoux, mollets, chevilles, musculature et articulations des pieds. Appréciez cette détente de l'ensemble du bas de votre corps.

**3.** Portez maintenant votre attention sur votre ventre. Visualisez une sphère, scintillante et vibrante. Observez sa forme, sa couleur, sa taille, sa texture, son rayonnement. Observez comment elle s'anime au rythme de la respiration. Appréciez cette visualisation et ses effets sur vous.

**4.** Grâce à l'expiration, facilitez la détente de la musculature de votre nuque, de vos omoplates, de votre poitrine, de la musculature de vos épaules, vos bras, vos avant-bras, vos poignets, vos mains et vos paumes des mains, jusqu'au bout des doigts. Appréciez la détente de la partie centrale et des membres supérieurs de votre corps.

**5.** Portez maintenant votre attention dans l'espace de votre poitrine. Visualisez une sphère, scintillante et vibrante. Observez sa forme, sa couleur, sa taille, sa texture, son rayonnement pendant quelques instants. Observez comment elle s'anime grâce à la respiration. Appréciez les sensations de cette visualisation sur vous.

**6.** Grâce à l'expiration, facilitez la détente de votre cuir chevelu, du sommet de la tête jusqu'à la base de la nuque, du sommet de la tête jusqu'aux oreilles, du sommet de la tête jusqu'au front. Puis, grâce à l'expiration, relâchez les muscles du visage, les sourcils et les temps, les globes oculaires, les pommettes et les joues, les ailes du nez, les lèvres, le menton, la langue et la gorge.

**7.** Portez maintenant votre attention dans l'espace de la tête. Visualisez une sphère, scintillante et vibrante. Observez sa forme, sa couleur, sa taille, sa texture, son rayonnement… Observez comment elle s'anime grâce à votre respiration. Appréciez les effets de cette visualisation sur vous.

**8.** Portez votre attention sur les trois sphères, celles du ventre, de la poitrine et de la tête. Observez comment elles s'animent au rythme de votre respiration, les trois simultanément ou bien l'une après l'autre (ventre, poitrine, tête, puis de nouveau ventre, poitrine, tête, etc.).

**9.** Profitez de la détente qui s'est s'installée maintenant dans la totalité de votre corps. Savourez cette sensation pendant quelques instants.

**10.**   Peu à peu, revenez au contact de la pièce, étirez-vous, ouvrez les yeux et prenez une profonde respiration. Buvez un verre d'eau, puis retrouvez vos occupations du jour.

## Commentaire

Les pratiques quotidiennes (respiration consciente, visualisation, relaxation, méditation...) qui visent l'activation de nos ressources naturelles (énergie de notre ventre, de notre cœur et de notre cerveau) nous permettent de fonctionner harmonieusement.

Ces pratiques, associées à une activité physique quotidienne (sport, yoga, marche...) et à une alimentation équilibrée constituent notre hygiène de vie. Grâce à cet équilibrage, les émotions et le flot des pensées seront mieux gérés.

# 3

# Développer
# et utiliser ses sens

Pour cultiver ses émotions, il est nécessaire de savoir entrer en contact avec ses perceptions sensorielles.

C'est par l'intermédiaire des sens que nous interagissons avec la réalité qui nous entoure. C'est également par la porte sensorielle que nous avons accès à la conscience de nous-mêmes et donc à la possibilité de mieux nous gérer dans nos émotions et nos pensées.

Nos émotions sont si vivantes que nous pourrions nous prendre pour elles. Dire : «Je suis triste, je suis en colère, je suis déçu» n'est pas exact. Il est plus juste de dire : «Je ressens de la tristesse, de la colère, de la déception…»

Dans les exercices suivants vous allez vous entraîner à développer, utiliser et communiquer l'ensemble de vos perceptions sensorielles liées aux émotions. Ce qui vous donnera accès à une compréhension plus juste de ce qui se passe en vous lorsqu'une émotion vous traverse.

# Exercice •13• Colore la vie

Chaque émotion vibre d'une façon particulière, elle se colore et s'anime. Quel temps fait-il en vous cette semaine?

Observez les émotions des sept prochains jours. Dans la colonne de gauche, identifiez l'émotion ressentie ; dans la colonne de droite décrivez la couleur et les images qui vous traversent l'esprit quand vous êtes en contact avec cette émotion.

| Jour | Émotion ressentie | Couleur et images qui se présentent dans mon esprit lorsque cette émotion est là |
|------|-------------------|----------------------------------------------------------------------------------|
| Jour 1 | Enthousiasme. | Un feu d'artifice multicolore, des visages qui sourient, des personnes qui dansent. |
| Jour 1 | | |
| Jour 2 | | |
| Jour 3 | | |

| Jour | Émotion ressentie | Couleur et images qui se présentent dans mon esprit lorsque cette émotion est là |
|------|-------------------|----------------------------------------------------------------------------------|
| Jour 4 | | |
| Jour 5 | | |
| Jour 6 | | |
| Jour 7 | | |

# Exercice •14• Au menu cette semaine

Certaines émotions qui nous traversent laissent un goût et une senteur particuliers à l'intérieur de nous. Quel est le menu de votre semaine?

Identifiez chaque émotion qui se présentera dans les sept prochains jours et notez-la dans la colonne de gauche. Puis, dans la colonne de droite, essayez de nommer quels goût et senteur elle a pour vous.

| Jour | Émotion ressentie | Goût et senteur qui se présentent dans mon esprit lorsque cette émotion est là |
|------|-------------------|--------------------------------------------------------------------------------|
| Jour 1 | Irritation. | Acide, vinaigre, goût métallique. |
| Jour 1 | | |
| Jour 2 | | |
| Jour 3 | | |
| Jour 4 | | |
| Jour 5 | | |
| Jour 6 | | |
| Jour 7 | | |

# Exercice • **15** • Toucher du doigt

L'émotion peut laisser en nous l'empreinte d'un toucher agréable ou désagréable, brûlant ou glacial. Quelles texture et température pour vos émotions, cette semaine ?

Dans les sept prochains jours, identifiez vos émotions et notez-les dans la colonne de gauche. Ensuite, pour chacune, essayez de percevoir la sensation tactile qui y est rattachée et reportez-la dans la colonne de droite.

| Jour | Émotion ressentie | Perceptions tactiles qui se présentent dans mon esprit lorsque cette émotion est là |
|------|-------------------|-------------------------------------------------------------------------------------|
| Jour 1 | Amour. | Doux, chaud et moelleux. |
| Jour 1 | | |
| Jour 2 | | |
| Jour 3 | | |
| Jour 4 | | |

| Jour | Émotion ressentie | Perceptions tactiles qui se présentent dans mon esprit lorsque cette émotion est là |
|------|-------------------|-----|
| Jour 5 | | |
| Jour 6 | | |
| Jour 7 | | |

# Exercice •16• À l'écoute

Une émotion s'invite et quelque chose se fait entendre : un son, un mot, une phrase…

Observez pendant la semaine les émotions qui vous traversent et notez-les dans la colonne de gauche. Puis essayez de reconnaître les perceptions auditives qui y sont rattachées et notez-les dans la colonne de droite.

| Jour | Émotion ressentie | Sons, mots, phrases qui se présentent dans mon esprit lorsque cette émotion est là |
|------|-------------------|-----|
| Jour 1 | Rage. | Bruit du tonnerre, rugissement féroce d'un félin ; mots : détruire, abattre ; phrase : « Je vais tout détruire ! » |
| Jour 1 | | |

| Jour | Émotion ressentie | Sons, mots, phrases qui se présentent dans mon esprit lorsque cette émotion est là |
|---|---|---|
| Jour 2 | | |
| Jour 3 | | |
| Jour 4 | | |
| Jour 5 | | |
| Jour 6 | | |
| Jour 7 | | |

# Exercice •17• De l'intérieur

Lorsqu'une émotion se présente, le corps s'anime pour l'accueillir. La manière dont il s'anime nous renseigne grandement sur nous-même et sur la manière dont nous vivons la situation. Si nous ressentons une sensation agréable, nous nous ouvrons, nous sommes bien avec la situation. Si nous ressentons une sensation désagréable, nous nous tendons, nous nous méfions, nous ne sommes pas bien avec la situation.

Cette semaine, notez dans la colonne de gauche chaque émotion ressentie et, dans la colonne de droite, précisez ce que vous percevez dans vos muscles, vos articulations et vos os.

| Jour | Émotion ressentie | Ce que je perçois dans mon corps lorsque cette émotion est là |
|---|---|---|
| Jour 1 | Peur. | Contraction dans la nuque, articulation de la mâchoire qui se serre, tension dans le corps. |
| Jour 1 | | |
| Jour 2 | | |
| Jour 3 | | |

| Jour | Émotion ressentie | Ce que je perçois dans mon corps lorsque cette émotion est là |
|---|---|---|
| Jour 4 | | |
| Jour 5 | | |
| Jour 6 | | |
| Jour 7 | | |

# Exercice •18• Ça balance

Le mouvement et la dimension spatiale animent également nos émotions. Nous avons la sensation d'être ralentis, propulsés, bloqués, tout petits, gigantesques… Quelles chorégraphies cette semaine ?

Notez pour les sept prochains jours, dans la colonne de droite, chaque émotion et dans la colonne de gauche les mouvements et perceptions spatiales que vous ressentez.

| Jour | Émotion ressentie | Les mouvements et la dimension spatiale que je perçois dans mon corps lorsque cette émotion est là |
|------|-------------------|----------------------------------------------------------------------------------------------------|
| Jour 1 | Ennui. | Immobile, corps lourd, haut du corps tassé, isolé, seul, dans un espace trop grand. |
| Jour 1 | | |
| Jour 2 | | |
| Jour 3 | | |
| Jour 4 | | |
| Jour 5 | | |
| Jour 6 | | |
| Jour 7 | | |

## Commentaires

Colorer, imager, parler, chanter, goûter, humer, danser les émotions nous permet de les vivre et de les intégrer dans notre expérience de vie. Elles sont véritablement nos alliées si nous savons les gérer. Savoir reconnaître les différents paysages de nos émotions nous rend observateur de la situation et nous fait prendre du recul. À partir de ce point de vue plus en hauteur, nous avons la liberté de « repenser » notre paysage intérieur. Il ne tient qu'à nous de le transformer. C'est le processus alchimique des émotions : transformez le plomb des émotions en or émotionnel !

Nous avons une conscience. Elle nous permet de nous observer être et agir. Le travail sur les émotions agrandit la conscience que nous avons de nous-mêmes. C'est une voie royale vers la connaissance de soi.

# Exercice •19• Sens en éveil

Vous avez durant ces dernières semaines exploré et développé vos perceptions, une à une. Dans la semaine qui vient, vous allez tenter de vous ouvrir à l'ensemble de vos perceptions. Votre monde intérieur s'anime !

Dans la colonne de gauche, notez l'émotion qui se présente et, dans celle de droite, précisez toutes les perceptions sensorielles pour cette émotion (couleur, image, son, mot, phrase, goût, senteur, muscles, articulation, mouvement, espace).

| Jour | Émotion ressentie | Toutes mes perceptions sensorielles lorsque cette émotion est là |
|------|-------------------|------------------------------------------------------------------|
| Jour 1 | Désespoir. | Gris, fade, rance, verre qui se brise, je n'y arrive pas, c'est dur, muscles et articulations mous, muscles du visage qui tombent, aucune énergie dans le corps, corps tassé, vers le sol, au milieu un gigantesque espace vaste, noir et vide. |

| Jour | Émotion ressentie | Toutes mes perceptions sensorielles lorsque cette émotion est là |
|---|---|---|
| Jour 1 | | |
| Jour 2 | | |
| Jour 3 | | |
| Jour 4 | | |
| Jour 5 | | |
| Jour 6 | | |
| Jour 7 | | |

# Commentaires

C'est donc au travers de vos perceptions sensorielles que vous vivez vos émotions. Votre mental nomme (en les formulant plus ou moins) vos perceptions et définit ainsi votre état interne, c'est-à-dire la manière dont vous les vivez, comment vous vous sentez. C'est bien d'un processus dont il s'agit. On peut le représenter de deux façons.

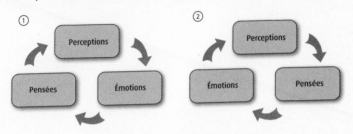

1) La perception d'un événement extérieur génère une émotion qui appelle une pensée qui part à la recherche d'une nouvelle perception (renforçante), etc.

2) La perception d'un événement extérieur génère une pensée qui déclenche une émotion qui part à la recherche d'une nouvelle perception (qui renforce), etc.

Nous sommes dans un cercle vicieux qui fonctionne en mode automatique.

Cette description, ce dialogue intérieur, c'est un peu comme si vous décriviez une scène de film. Vous projetez sur l'écran tout ce que vos pensées fabriquent à partir de vos perceptions et des émotions qui vous traversent.

Vous comprenez bien que c'est une pure fiction, sortie tout droit de l'activité de votre mental et qui ne correspond pas à la réalité.

Rappelez-vous, lorsque tout va mal au centre de vous-même, que c'est le film que votre mental projette sur votre écran interne !

# 4

# Exprimer les émotions

La première étape franchie, vous voici à la porte de la seconde. Ce chapitre va vous permettre d'utiliser différents moyens d'expression des émotions.

Dans les exercices suivants, vous allez vous amuser avec les couleurs, les saveurs, les sons et les mouvements.

Vous allez sélectionner ce qui vous convient le mieux, pratiquer l'alternance et la variété, pour développer votre expression émotionnelle.

# Exercice •20• Technicolor

Nous sommes des êtres visuels. C'est l'attention, le regard que nous portons autour de nous qui créent notre réalité. Nous pouvons voir la vie en gris, en noir ou blanc, en rose... La couleur est une vibration. «Être vert de rage», «rouge de colère», «rire jaune», «une peur bleue»... Ces expressions démontrent la relation entre les couleurs et les émotions. Les saisons ont leur couleur et la nature est abondamment colorée. Les couleurs ont des vertus thérapeutiques, la chromothérapie, la médecine ayurvédique, les médecines d'Orient utilisent les couleurs pour nous rééquilibrer.

Dans les sept prochains jours, choisissez une couleur par jour et mettez-la à l'honneur. Notez ce que vous avez choisi. En fin de semaine vous ferez le point sur vos préférences et l'impact de cette alternance sur vous.

**Jour 1 :** *Porter du vert (vêtements, accessoires), une touche de vert (sur mon bureau, sur mes paupières...), manger des aliments verts, marcher dans un parc avec de grands arbres, acheter un objet décoratif vert pour la maison...*

Jour 1 : _____

Jour 2 : _____

Jour 3 : _____

Jour 4 : _____

Jour 5 : _____

Jour 6 : _____

Jour 7 : _____

## Bilan de fin de semaine

Vos préférences et l'impact d'une mise en couleurs sur les émotions, sur votre humeur et sur votre environnement.

J'ai préféré cette semaine :

*L'orange et le bleu foncé*

_____

L'impact : j'ai remarqué cette semaine…

*… qu'avec l'orange je me suis senti joyeux et tourné vers les autres. Avec le bleu foncé, je me suis senti plus réfléchi et plus fort.*

_____

## Commentaire

**La symbolique des couleurs varie selon l'époque et la civilisation[3].**

| Rouge | Bleu | Vert | Jaune | Blanc |
|-------|------|------|-------|-------|
| Force. Passion. Puissance. Interdiction. Danger. Virilité. Courage. Action. | Paix. Vertu. Immatérialité. Méditation. Sagesse. Rêverie. Confiance. Bonté. Calme. Sécurité. Foi. Féminité. | Espérance. Nature. Immortalité. Repos. Foi. Jeunesse. Fécondité. Satisfaction. Calme. | Science. Conscience. Idéalisme. Action. Luminosité. Orgueil. Jalousie. Calme. Sécurité. | Pureté. Innocence. Chasteté. Richesse. Silence. |

_____

3. Les éléments du tableau sont donnés à titre informatif et ne sont pas exhaustifs.

| Or/Argent | Orange | Violet | Gris | Noir |
|-----------|--------|--------|------|------|
| Immortalité. Richesse. Gloire (or). Respect (argent). Dignité (argent). | Énergie. Ambition. Enthousiasme. Imagination. Richesse. Honneur. | Politesse. Jalousie. Mystère. Spiritualité. Mélancolie. Tristesse. Modestie. Religion. Inconscient. Secret. Ténèbres. Mort. Piété. Noblesse. | Sobriété. Tristesse. Modernisme. Peur. Monotonie. | Mort. Deuil. Nuit. Mystère. Monotonie. Tristesse. Détresse. Angoisse. Noblesse. Distinction. Élégance. Silence. |

Vivre en couleurs nous anime. Pratiquer l'alternance des couleurs harmonise le corps et l'esprit. Notre vie quotidienne se colore de vie. La palette des émotions s'agrandit et nous les reconnaissons, nous les choisissons même! La couleur et vous vibrerez sur la même fréquence.

# Exercice •21• Bon appétit!

Les goûts et les saveurs provoquent des sentiments et des émotions. Observez un bébé à qui l'on donne son repas, il savoure ou fait la moue, refuse même, ferme la bouche et se détourne lorsque le goût ne lui plaît pas. Les grands chefs le savent bien et utilisent couleurs, textures et saveurs à bon escient pour provoquer des émotions positives. Et pour vous, au quotidien, c'est comment?

Dans les sept prochains jours, pour chacun de vos repas, prenez le temps de ressentir ce qui se trouve dans votre assiette, puis nommez votre menu, ses couleurs, ce qui vous a plu et déplu, et le sentiment associé, puis exprimez-le!

| Jour | Repas | Les couleurs | J'ai aimé | Je n'ai pas aimé | Sentiment/ émotion associés |
|---|---|---|---|---|---|
| Jour 1 | Déjeuner au restaurant ; des nems, du poulet à la citronnelle et du riz. | Vert, marron, jaune, blanc. | Les nems avec salade et menthe. | Le poulet et le riz qui étaient secs et réchauffés de la veille. | Satisfaction et plaisir pour les nems. Déception pour le poulet. |
| Jour 1 | | | | | |
| Jour 2 | | | | | |
| Jour 3 | | | | | |

| Jour | Repas | Les couleurs | J'ai aimé | Je n'ai pas aimé | Sentiment/ émotion associés |
|------|-------|--------------|-----------|------------------|----------------------------|
| Jour 4 | | | | | |
| Jour 5 | | | | | |
| Jour 6 | | | | | |
| Jour 7 | | | | | |

## Commentaire

Se nourrir génère sentiments et émotions. En choisissant ce qui est dans notre assiette, nous vivons des sensations, des sentiments et des émotions positives et agréables. Nous devenons alors responsables de ce que nous mangeons et nous avons une action sur les émotions que nous générons. Nous les choisissons et nous les exprimons, nous les partageons. Un véritable festin émotionnel !

# Exercice •22• Sur un petit air de java

« La musique adoucit les mœurs, chanter sous la douche nous met en joie, cette musique m'émeut, ces paroles me blessent… » Nous avons tous fait l'expérience de vibrer d'émotion en écoutant de la musique ou en chantant. Nous savons également l'impact d'un mot ou d'une phrase, il peut être une caresse pour notre âme ou d'une violence inouïe.

Essayez, dans les sept prochains jours, de vous amuser à choisir des mots et des phrases, à chanter des chansons ou à improviser un air qui appelle une émotion. Puis vous noterez l'impact sur vous-même et sur votre entourage.

| Jour | Mots, phrases, chansons, air | Émotion positive et constructive | Impact sur moi | Impact sur mon entourage |
|------|------------------------------|----------------------------------|----------------|--------------------------|
| Jour 1 | Ce matin, j'ai chanté sous ma douche, un air que j'ai inventé, c'était gai et rythmé. | Enthousiasme. | Je suis plein de vitalité et j'ai envie de la partager. | En arrivant au travail, mes collègues m'ont trouvé en pleine forme et de bonne humeur ; ça a mis une bonne ambiance dans le service. |

| Jour | Mots, phrases, chansons, air | Émotion positive et constructive | Impact sur moi | Impact sur mon entourage |
|------|------------------------------|----------------------------------|----------------|--------------------------|
| Jour 1 | | | | |
| Jour 2 | | | | |
| Jour 3 | | | | |
| Jour 4 | | | | |

| Jour | Mots, phrases, chansons, air | Émotion positive et constructive | Impact sur moi | Impact sur mon entourage |
|------|------|------|------|------|
| Jour 5 | | | | |
| Jour 6 | | | | |
| Jour 7 | | | | |

## Commentaire

Tout comme la couleur, le son est une vibration. Un mot, une phrase, un air, une chanson vont avoir une résonance sur nous et sur les autres. Les émotions qui vont se présenter seront « accordées » parfaitement à cette fréquence des mots ou de la musique. La vibration d'un son ou d'un mot est très puissante. Utiliser des sonorités qui sont bonnes pour vous et votre entourage provoquera des émotions et des inter-actions positives.

# Exercice •23• Le corps à livre ouvert

Les mouvements du corps expriment les sentiments et les émotions. Observez les mimes, les comédiens et les danseurs. Leur visage et leur corps sont expressifs et incarnent la joie, la force, la tristesse, la peur… Amusez-vous à exprimer les émotions !

Essayez, dans les sept prochains jours, de solliciter votre corps et votre visage pour exprimer les émotions qui se présentent, puis notez votre ressenti.

| Jour | Émotion | Mouvement | Ressenti |
|------|---------|-----------|----------|
| Jour 1 | Honte. | La tête et le regard baissés, le haut du corps et le visage tombants. | Je n'ai pas d'énergie dans le corps, je deviens tout petit dans la perception de mon corps, je ne le sens presque plus, il se dissout. |
| Jour 1 | | | |
| Jour 2 | | | |

64

| Jour | Émotion | Mouvement | Ressenti |
|------|---------|-----------|----------|
| Jour 3 | | | |
| Jour 4 | | | |
| Jour 5 | | | |
| Jour 6 | | | |
| Jour 7 | | | |

## Commentaire

Notre corps vit les émotions. Il se ferme, se tend, se bloque, se rapetisse, s'amollit, se dissipe, il a mal lorsque l'émotion est négative. Il s'ouvre, il vibre, s'agrandit, s'anime, s'enflamme, se renforce, il est léger et disponible lorsque l'émotion est positive. Mettre votre corps en mouvement est une belle manière d'appeler et de célébrer les émotions positives.

## Exercice •24• La palette des émotions

Bravo, vous venez de solliciter, une à une, les facettes de votre capital d'expression. Cette palette est à votre entière disposition. Les émotions s'expriment à travers elle. Vous pouvez les exprimer, les comprendre, les nommer et les partager. En devenant acteur de l'expression de vos émotions, vous êtes bien désormais sur le chemin de la maîtrise.

Entraînez-vous encore quelques jours, puis petit à petit, osez vous exprimer devant les autres, osez partager ce nouveau point de vue sur les émotions. Notez ce que vous exprimez et l'impact que cela a sur votre entourage.

**Jour 1 :** *Je viens d'obtenir une promotion dans mon travail, je décide de partager cette bonne nouvelle avec ma famille au dîner ce soir. Je fais le choix de préparer un repas simple plein de couleurs et de saveurs, une table lumineuse, je me mets en couleurs, je choisis une musique qui inspire la joie, je choisis les mots que je vais dire pour partager cette bonne nouvelle. Je danse ma joie, j'ouvre mes bras, je pose mon regard sur eux, je pose ma main sur eux, je reçois leurs mots, leurs regards et leurs gestes qui expriment qu'ils sont heureux pour moi.*

Jour 1 : _ _ _ _ _ _ _ _ _ _ _ _ _ _ _ _ _ _ _ _ _ _ _ _ _ _ _ _

_ _ _ _ _ _ _ _ _ _ _ _ _ _ _ _ _ _ _ _ _ _ _ _ _ _ _ _ _

Jour 2 : _____

_____

Jour 3 : _____

_____

Jour 4 : _____

_____

Jour 5 : _____

_____

Jour 6 : _____

_____

Jour 7 : _____

_____

## Commentaire

Vivre sa vie dans cette diversité d'expressions sensorielles et physiques apporte beaucoup de joie personnelle et collective. En le développant pour vous-même, vous verrez que vous allez faire des adeptes dans votre entourage !

# Exercice •25• Mon tempérament dominant

En médecine traditionnelle chinoise, à chaque tempérament correspond une couleur, un organe, un élément, des émotions, une saison, une saveur… Reconnaissez votre tempérament dominant et les émotions qui s'y rattachent.

 Cochez dans la liste suivante les couleurs, saveurs et saisons qui vous correspondent le mieux.

Quelle est votre couleur préférée ?

A. Vert          B. Rouge              C. Jaune
D. Gris          E. Bleu marine/noir

Quelle est votre saveur préférée ?

A. Acide         B. Amer               C. Sucré
D. Piquant       E. Salé

Quelle est votre saison préférée ?

A. Printemps     B. Été                C. Intersaison
D. Automne       E. Hiver

## Analyse des résultats

Vous avez un maximum de **A** : votre élément est le **bois**.
Vous avez un maximum de **B** : votre élément est le **feu**.
Vous avez un maximum de **C** : votre élément est la **terre**.
Vous avez un maximum de **D** : votre élément est le **métal**.
Vous avez un maximum de **E** : votre élément est l'**eau**.

Reportez-vous au tableau suivant pour connaître les détails de votre profil en médecine traditionnelle chinoise.

| Élément | Couleur | Saison | Saveur | Organe | Émotions |
|---------|---------|--------|--------|--------|----------|
| Bois. | Vert. | Printemps. | Acide. | Vésicule biliaire et foie. | Colère. Imagination. |
| Feu. | Rouge. | Été. | Amer. | Cœur. | Joie. Timidité. |
| Terre. | Jaune. | Intersaison. | Sucré. | Rate. Estomac et pancréas. | Soucis. Réflexion. |
| Métal. | Gris. | Automne. | Piquant. | Gros intestin. Poumons. | Pessimisme. Tristesse. |
| Eau. | Bleu marine. Noir. | Hiver. | Salé. | Vessie. Reins. | Peur. Indécision. Volonté. |

La médecine traditionnelle chinoise a toujours considéré que les facteurs émotionnels influencent fortement la santé. Chaque émotion en excès blesse l'organe auquel elle est associée. À titre d'exemple, la colère blesse le foie ; et la peur, les reins.

Selon cette médecine, l'individu se rééquilibre grâce au cycle des saisons. C'est sur une année que nous faisons le tour de nous-même, pour nous régénérer en totalité dans tous nos mouvements. Il existe cinq mouvements : bois, feu, terre, métal, eau.

On comprend donc ici la nécessité de savoir maîtriser les émotions afin d'harmoniser le fonctionnement de notre corps. Une bonne gestion des émotions permet de les accueillir toutes sans être stimulé en excès par elles.

# 5

•

# Se gérer dans
# les émotions

La deuxième étape franchie, vous voici à la porte de la troisième. Dans ce chapitre, il va être question de s'entraîner à reconnaître l'émotion qui est là, puis la conduire, en conscience, vers un état d'équilibre favorisant votre santé et votre maîtrise de vous-même. C'est un mouvement évolutif, car la palette des émotions est riche.

Dans les exercices suivants, vous allez apprendre à identifier avec précision l'émotion, puis à la nommer pour enfin la laisser évoluer vers une fréquence stable et retrouver un état interne harmonisé grâce à des pensées orientées.

# Exercice •26• La vague arrive

L'émotion nous secoue tellement fort, que nous avons pris l'habitude depuis l'enfance soit de la nier – de faire comme si elle n'était pas là –, soit de nous laisser engloutir par la force de sa vague et nous dissoudre. Nous n'existons plus, seule l'émotion et ses effets deviennent Nous.

Dans les deux cas, nous ne gérons rien du tout. La vague arrive, nous emporte, et c'est trop tard. C'est là que l'art de la maîtrise intervient. Sachez voir la vague arriver, soyez présent à vous-même, pour pouvoir ensuite choisir comment vous allez l'aborder.

> Pour voir la vague émotionnelle arriver, vous allez vous fier à vos perceptions sensorielles et physiques, ce sont elles que l'on détecte en premier. Entraînez-vous dans les prochains jours, à cette présence à vous-même puis décrivez la situation.

**Jour 1 :** *Je suis avec des amis et quelqu'un s'adresse à moi pour me demander comment je vais. Cette simple question vient toucher quelque chose de très sensible, car je traverse une période professionnelle très difficile. Soudain, j'ai très chaud, je rougis, j'ai été touchée. Ma première pensée associée est de minimiser et je m'entends répondre : « Ça va bien, oui, j'ai la forme ! » Mon interlocuteur est satisfait et se tourne vers quelqu'un d'autre. Ouf, j'ai refermé l'accès à cette partie de moi très inconfortable en ce moment. L'émotion repart, jusqu'à la prochaine fois…*

Jour 1 : _ _ _ _ _ _ _ _ _ _ _ _ _ _ _ _ _ _ _ _ _ _ _ _ _ _ _ _ _ _ _

_ _ _ _ _ _ _ _ _ _ _ _ _ _ _ _ _ _ _ _ _ _ _ _ _ _ _ _ _ _ _ _ _

Jour 2 : _ _ _ _ _ _ _ _ _ _ _ _ _ _ _ _ _ _ _ _ _ _ _ _ _ _ _ _ _ _ _

_ _ _ _ _ _ _ _ _ _ _ _ _ _ _ _ _ _ _ _ _ _ _ _ _ _ _ _ _ _ _ _ _

Jour 3 : _____

_____

Jour 4 : _____

_____

Jour 5 : _____

_____

Jour 6 : _____

_____

Jour 7 : _____

_____

## Commentaire

Sans présence, sans conscience, vous ne pouvez pas gérer les émotions. Devenir présent est la toute première attitude que l'on adopte lorsque l'on est maître dans l'art de gérer ses émotions. Le bénéfice est immense : confiance, réussite, maîtrise de soi !

# Exercice •27• L'autre est mon miroir

L'autre, par sa question, son témoignage, son point de vue me révèle à moi-même. Ses mots vont déclencher un sentiment ou une émotion confortable ou inconfortable. Ce qui se produit en moi à ce moment-là me renseigne sur moi : émotion positive (satisfaction, enthousiasme, la conversation avec cette personne est riche et chaleureuse, je me sens bien à son contact et elle aussi) ou émotion négative (irritation, agacement, je réagis, je contre-attaque, et cela finit toujours par des critiques et du cynisme entre nous).

Observez et notez pendant cette semaine l'émotion qui surgit face à telle ou telle personne et cherchez à comprendre pourquoi.

**Jour 1 :** *Une collègue de travail me parle de son fils qui a du mal à trouver du travail. La peur me traverse car mon fils lui aussi cherche depuis plusieurs mois du travail et il se décourage. Cette collègue a réveillé ma préoccupation pour mon fils et mon sentiment d'impuissance à l'aider. La tristesse s'installe en moi. Cette émotion est reliée à cette situation, et cette conversation l'a réactivée.*

Jour 1 : _____

_____

Jour 2 : _____

_____

Jour 3 : _____

_____

Jour 4 : _____

_____

Jour 5 : _____

_____

Jour 6 : _____

_____

Jour 7 : \_ \_ \_ \_ \_ \_ \_ \_ \_ \_ \_ \_ \_ \_ \_ \_ \_ \_ \_ \_ \_ \_ \_ \_ \_ \_

\_ \_ \_ \_ \_ \_ \_ \_ \_ \_ \_ \_ \_ \_ \_ \_ \_ \_ \_ \_ \_ \_ \_ \_ \_ \_ \_

## Commentaire

Considérer l'autre comme un miroir est un point de vue intéressant, puisqu'il vient donner de la valeur à nos interactions. Si l'autre est votre miroir, vous êtes aussi le miroir de quelqu'un. Ainsi, nous communiquons aussi pour nous révéler à nous-même. Tout le monde est concerné par cette réalité, sans le savoir. Vous faites partie maintenant de ceux qui savent, vous pouvez le faire savoir !

« Je t'écoute attentivement, tu as quelque chose à me dire qui me concerne aussi ! »

## Exercice  •28• L'émotion se présente

Considérez que l'émotion n'est pas vous. Elle vous traverse un peu fort, vous secoue un instant certes, mais vous allez très vite retrouver votre état de stabilité interne en sachant quoi faire.

C'est la confusion et le déséquilibre qu'elle crée que nous jugeons et étiquetons qui nous trouble. Si vous vous mettez simplement à la voir et à vous demander ce qu'elle veut bien vous dire, puis continuez à vivre normalement, vous allez devenir de plus en plus confortable avec l'arrivée de l'émotion.

L'arrivée d'une émotion n'est pas linéaire et figée. Il s'agit au contraire d'un mouvement évolutif qui cherche à trouver son point stable. Ainsi, nous repérons une première sensation puis nous déroulons un véritable écheveau de sensations, de pensées et de nouvelles émotions qui se succèdent, dans un total chaos parfois.

Dans les sept prochains jours, essayez d'identifier les émotions qui se présentent en fonction de la liste ci-dessous. Notez-les dans la colonne de gauche du tableau ci-après, puis, en colonnes de droite, explicitez votre ressenti, puis les pensées qui y sont reliées.

## Liste des émotions

☐ La joie, la liberté, l'amour, l'appréciation, la connaissance, la responsabilisation.

☐ La passion.

☐ L'enthousiasme, le bonheur, l'ardeur, le désir.

☐ La foi, la confiance, la conviction.

☐ L'optimisme.

☐ L'espoir.

☐ Le contentement, la satisfaction.

☐ L'ennui.

☐ Le pessimisme.

☐ La frustration, l'irritation, l'impatience, la vexation, l'agacement.

☐ La confusion, le trouble, l'errance.

☐ La déception.

☐ Le doute.

☐ L'inquiétude.

☐ Le découragement.

☐ La colère.

☐ La revanche.

☐ La haine, la rage.

☐ La jalousie.

☐ L'insécurité, la culpabilité, l'indignité, la honte.

☐ La peur, le désespoir, la douleur, l'impuissance, la tristesse, la dépression.

| Jour | Émotion | Ressenti, sensations | Pensées reliées |
|------|---------|---------------------|-----------------|
| Jour 1 | La revanche. | Nervosité dans le corps, je suis en réaction. | Je veux me venger, reprendre le dessus, gagner. |
| Jour 1 | | | |
| Jour 2 | | | |
| Jour 3 | | | |

| Jour | Émotion | Ressenti, sensations | Pensées reliées |
|---|---|---|---|
| Jour 4 | | | |
| Jour 5 | | | |
| Jour 6 | | | |
| Jour 7 | | | |

## Commentaire

Vous n'êtes pas la revanche ou la passion, vous êtes traversé par la revanche ou la passion. Cette petite distinction vous permet de garder un ancrage fort. Vous êtes donc en sécurité, soyez-en sûr.

Reste maintenant à agir concrètement pour gérer ce chaos interne (physique et mental).

Entraînez-vous également à exprimer à quelqu'un de confiance, qui vous aime, les émotions qui vous traversent, les positives, les négatives, et comment elles se manifestent dans le corps et le mental. Cela sera très instructif pour vous comme pour vos proches.

# Exercice •29• Accueillir l'émotion

Utiliser en conscience notre respiration et nos pensées sont les deux actions les plus efficaces que nous pouvons déclencher pour que le processus émotionnel ne s'accélère pas.

Durant une semaine complète, à chaque fois qu'une émotion se présente, suivez les étapes ci-dessous, puis notez comment vous vous sentez émotionnellement après cette pratique.

Durée de l'exercice : environ 8 minutes.

**1.** S'arrêter, s'asseoir, décroiser jambes et bras.

Je sens la honte qui arrive, je m'installe confortablement dans mon canapé, jambes et bras décroisés et je porte mon attention sur ma respiration.

**2.** Respirer et, à l'expiration, bien se détendre musculairement, de la tête aux pieds.

J'apporte de la détente, grâce à l'expiration, dans tous mes muscles, en partant du sommet du crâne, puis en descendant progressivement : visage, cou, nuque, haut du dos, bras, mains, paumes des mains, poitrine, dos, estomac, abdomen, bas du ventre, bas du dos, muscles fessiers, cuisses, mollets, pieds et voûte plantaire.

**3.** J'observe maintenant l'émotion dans un corps détendu et je peux poursuivre en notant comment je me sens :

Jour 1 : _ _ _ _ _ _ _ _ _ _ _ _ _ _ _ _ _ _ _ _ _ _ _ _ _ _ _ _ _ _ _ _ _ _ _ _ _ _

_ _ _ _ _ _ _ _ _ _ _ _ _ _ _ _ _ _ _ _ _ _ _ _ _ _ _ _ _ _ _ _ _ _ _ _ _ _ _

Jour 2 : _____

_____

Jour 3 : _____

_____

Jour 4 : _____

_____

Jour 5 : _____

_____

Jour 6 : _____

_____

Jour 7 : _____

_____

## Commentaire

La maîtrise de cette étape fondamentale vous permet de stopper la spirale des effets physiques et physiologiques de l'émotion. Elle vous stabilise dans le corps. Vous aurez ainsi accès à une pensée plus claire. Résultat : en ralentissant le corps, le mental devient plus calme, la manifestation physique de l'émotion se stabilise. Vous pouvez commencer à dialoguer directement avec elle pour la gérer.

# Exercice •30• Ouvrez le dialogue!

Vous savez activer la phase 1 : votre présence (exercice **n° 28**), la phase 2 : le corps relaxé (exercice **n° 29**), vous allez maintenant activer la phase 3 : dialoguer avec l'effet de l'émotion.

Cette phase est celle qui va inverser la tendance et vous permettre de reprendre «la main» sur la situation émotionnelle.

Dans les prochains jours, lorsque l'émotion est là, appliquez la méthode ci-dessous. Vous noterez vos observations et résultats directs de cette pratique dans les heures et jours qui suivront.

**1.** Activez les phases 1 et 2, c'est-à-dire vous arrêter, respirer et détendre votre corps.

**2.** Vous avez désormais accès directement à l'effet de l'émotion.

**3.** Alors vous pouvez vous dire : « Oui, je te vois, et je choisis de lâcher prise avec cette sensation. Je choisis d'en baisser l'importance. La sensation est désagréable, elle est là, et je l'accepte totalement maintenant! »

**Jour 1 :** *Je ressens de la peur juste avant un rendez-vous. Cette peur se manifeste dans ma poitrine et mon plexus. C'est comme si dans mon corps, à cet endroit, tout était en désordre, comme s'il y avait une grande confusion de mes entrailles qui tremblent. Et puis cela monte dans ma gorge et elle est nouée.*

*Je dis : «Oui, je te vois et je choisis de lâcher prise avec ces sensations dans ma poitrine, mon plexus et ma gorge. Je choisis d'en baisser l'importance maintenant!»*

*Je suis allé au rendez-vous avec ces sensations en moi. Parce que je les ai vues et que j'ai choisi de les laisser aller, elles se sont peu à peu estompées au fil du rendez-vous.*

Jour 1 : _ _ _ _ _ _ _ _ _ _ _ _ _ _ _ _ _ _ _ _ _ _ _ _ _ _ _ _ _ _ _ _ _ _

_ _ _ _ _ _ _ _ _ _ _ _ _ _ _ _ _ _ _ _ _ _ _ _ _ _ _ _ _ _ _ _ _ _

Jour 2 : _____

_____

Jour 3 : _____

_____

Jour 4 : _____

_____

Jour 5 : _____

_____

Jour 6 : _____

_____

Jour 7 : _____

_____

## Commentaire

La maîtrise de cette troisième phase de la méthode de gestion vous permet d'entrer en contact avec les sensations de l'émotion. Jusque-là, comme tout le monde, vous aviez l'habitude de nier la sensation, de la rejeter, ou bien de l'utiliser comme tremplin pour réagir à la situation. Dans les trois cas, elle prenait le pouvoir sur vous !

Désormais, vous avez à votre disposition la possibilité de dialoguer avec cette sensation, de l'accepter puisqu'elle est là, sans rien en faire de particulier, simplement d'accepter sa présence, grâce à cette pensée nommée en toute conscience : « Oui, je te vois et je choisis de… » Vous avez inversé le processus, l'effet de l'émotion va se dissiper.

# Exercice •31• Les cinq pourquoi

Cette phase est celle qui va vous permettre de finaliser le processus de gestion, en reprenant la maîtrise de vous-même. Les pensées générées par l'émotion ne sont pas sous votre contrôle, elles s'activent seules, presque en pilote automatique.

**Dans les prochains jours, lorsque l'émotion est là, identifiez-la, répondez à cinq pourquoi, puis donnez la suite logique.**

**1.** Identifiez une émotion.

*Exemple : je ressens de la déception le mardi 21 mai.*

_____

_____

**2.** Répondez aux cinq pourquoi.

**Pourquoi ?** *Je suis en recherche d'emploi, j'envoie des candidatures tous les jours depuis 12 semaines et je ne reçois que des réponses négatives.*

**Pourquoi ?** *On m'écrit que mon profil ne correspond pas exactement et que d'autres personnes correspondent mieux aux besoins.*

**Pourquoi ?** *Parce que je n'ai pas l'expérience attendue ou le diplôme qui sont mentionnés sur l'annonce.*

**Pourquoi ?** *Parce que je n'ai pas réellement pris le temps de me demander ce que j'avais envie de faire et en offrant quelles réelles compétences. Je postule du tac au tac, en réaction à quelques mots clés que je vois sur les annonces.*

**Pourquoi ?** *Parce que je me sens dans l'urgence de trouver un travail.*

C'est à vous !

Pourquoi?

_____

_____

Pourquoi?

_____

_____

Pourquoi?

_____

_____

Pourquoi?

_____

_____

Pourquoi?

_____

_____

**3.** Poursuivez votre exploration en notant la suite logique.

**Donc:** *C'est l'urgence qui me fait réagir.*

Donc:

_____

_____

## Commentaire

Chaque pourquoi lève le voile de surface, pour aller trouver la vraie raison de l'émotion et commencer à reprendre votre pouvoir d'action.

La maîtrise de cette quatrième phase de la méthode de gestion vous permet de stopper la spirale des pensées négatives que l'effet de l'émotion appelle. Par cette pratique, vous amorcez des pensées de progrès, des pensées favorables et constructives au service de votre vie, de vos projets et de vos souhaits.

# Exercice •32• Petit à petit

Dans tous les aspects de notre vie, nous avons besoin d'apprendre à réaliser, à gérer, à résoudre, à être… Nous savons qu'en progressant dans les étapes, le résultat est garanti, comme pour apprendre à marcher, à faire du vélo, pour réaliser un plat, une chorégraphie, pour entretenir des relations de qualité… L'avancée est progressive et respectueuse de chaque étape. Chacune d'elles a une valeur qui, additionnée à celle des autres étapes, produit au final du succès. Il nous faut être confiant et persévérant dans le déroulement des étapes, car comme le dit l'adage : «Le meilleur est pour la fin.»

Lorsqu'une émotion se présente, suivez les quatre étapes suivantes.

**1.** S'arrêter : je m'installe confortablement dans mon canapé et je me consacre du temps, en m'assurant de ne pas être dérangé. Je décroise jambes et bras, mes dents ne se touchent pas, la pointe de ma langue est au palais.

**2.** Respirer et détendre le corps : j'observe ma respiration puis, à chacune de mes expirations, je relâche les muscles de mon corps, en partant du sommet du crâne pour aller jusqu'aux pieds, progressivement.

**3.** Dialoguer avec l'effet de l'émotion – Acceptation : je dis : « Oui, je te vois et je choisis de lâcher prise avec ces sensations dans ma poitrine, mon plexus et ma gorge. Je choisis d'en baisser l'importance maintenant ! »

**4.** Nommer l'émotion et poser les cinq pourquoi.

Je nomme l'émotion :

_____

Pourquoi? _____

_____

Pourquoi? _____

_____

Pourquoi? _____

_____

Pourquoi? _____

_____

Pourquoi? _____

_____

Donc : _____

_____

## Commentaire

Bravo, vous venez de suivre les quatre étapes du processus. Vous en retirez déjà des bénéfices : confiance dans votre capacité à vous gérer lorsque l'émotion est là, meilleure compréhension de vous-même, meilleur discernement des situations, plus grand lâcher-prise au quotidien, vous réagissez moins aux événements, vous devenez plus présent…

# Exercice •33• Le temps au temps

Comme le dit l'adage : «Rome ne s'est pas faite en un jour», c'est avec le temps que l'on construit les plus belles choses. Pour nous développer et nous gérer dans la vie, nous avons à nous entraîner, à pratiquer.

Dans l'exercice qui va suivre, vous allez vous entraîner à consacrer le temps nécessaire pour aller au bout du processus de gestion.

Dans les sept prochains jours, à chaque fois que vous pratiquerez la gestion d'une émotion, vous reporterez dans le tableau ci-dessous le temps que vous avez consacré à chacune des phases et vous noterez si vous avez effectué le processus dans sa totalité en une ou plusieurs fois.

| M'arrêter | Respirer et détendre mon corps | Dialoguer avec l'effet de l'émotion | Poser cinq questions | Total temps | Gestion du processus |
|---|---|---|---|---|---|
| 3 min | 8 min | 2 min | 15 min | 28 min | En deux fois : phases 1 à 3, puis la phase 4 le soir avant de me coucher. |

| M'arrêter | Respirer et détendre mon corps | Dialoguer avec l'effet de l'émotion | Poser cinq questions | Total temps | Gestion du processus |
|---|---|---|---|---|---|
|  |  |  |  |  |  |
|  |  |  |  |  |  |
|  |  |  |  |  |  |

## Commentaire

En notant le temps que vous prenez pour gérer le processus, vous comprenez que cela exige un investissement, cela ne se fait pas tout seul. C'est le prix à payer, la valeur de la maîtrise de vous-même.

Sachez qu'il nous faut en moyenne 20 minutes pour nous installer dans un état interne stable ou de concentration. C'est le temps nécessaire pour une bonne gestion de soi.

# Exercice •34• Bénéfice net

Être maître de soi et bien se connaître font partie des grands projets de notre existence.

Lorsque nous mesurons l'impact d'une action que nous conduisons et le résultat positif que nous obtenons, nous construisons confiance et estime de soi.

Au cours des sept prochains jours, pratiquez les quatre étapes du processus de gestion et notez les résultats que vous obtenez ainsi que la confiance et l'estime de soi que vous ressentez.

**Jour 1 :** *J'ai géré l'ennui que je ressentais lorsque j'étais avec mes parents, principalement lorsque nous étions à table. Nous commençons à avoir quelques discussions plus impliquantes sur la façon de voir la vie. J'ose davantage exprimer mon point de vue et partager avec eux ce qui m'anime ou mes doutes. Nos relations sont plus vraies et nous avons plaisir à nous retrouver. Je vis les repas avec détente maintenant et je me sens plus en confiance en leur compagnie.*

Jour 1 : _____

_____

Jour 2 : _____

_____

Jour 3 : _____

_____

Jour 4 : _____

_____

Jour 5 : _____

_____

Jour 6 : _____

_____

Jour 7 : _____

_____

## Commentaire

Savoir nous gérer dans nos émotions, c'est prendre la responsabilité de ce que nous ressentons et vivons, au lieu de l'imputer sur le comportement des autres.

Ce changement de point de vue améliore considérablement les relations avec nos proches et notre entourage.

## Exercice •35• Mots déclencheurs

Lorsque nous ressentons au fond de nous ce sentiment de mal-être, où rien ne va plus, où nous manquons d'air et où nous nous sentons en situation d'urgence interne, c'est que nous sommes au plus bas de l'échelle des émotions.

Grâce aux quatre phases du processus de gestion, vous savez désormais comment accueillir et comprendre l'émotion qui est venue vous rendre visite. Vous voici arrivé à une cinquième étape du processus : l'ancrage.

Dans les exercices qui vont suivre, vous allez rechercher votre niveau stable, celui où vous êtes le plus serein, en pleine possession de vos moyens. Grâce à des mots déclencheurs forts, vous allez petit à petit «réchauffer» le baromètre et vous placer là où vous vous sentez confortable et en paix.

**Rappel :** voir exercice **n° 28** (p. 75).

Lorsque vous vous sentez dans cet état de mal-être intérieur, prenez quelques minutes et déroulez les quatre étapes du processus de gestion. Suivez ensuite les consignes suivantes.

**1.** Choisissez un mot dans la liste ci-dessous, ressentez son effet, puis choisissez-en un autre, et ainsi de suite, jusqu'à ce que vous ayez retrouvé votre force intérieure.

Liste des mots déclencheurs de poussée positive, qui vous permettent petit à petit de vous sentir mieux intérieurement et de retrouver cette sensation qui vous fait dire : « Je me sens bien ! »

| | |
|---|---|
| Aider | Maîtrise |
| Améliorer | Mieux |
| Authentique | Modèle |
| Beau | Noble |
| Besoin | Notoriété |
| Bon | Nourrir |
| Clarifier | Organiser |
| Confiance | Ouvrir |
| Construire | Prioriser |
| Couleur | Racines |
| Créer | Relation |
| Élever | Renommée |
| Énergie | Santé |
| Éthique | Sensation agréable |
| Être | Simplifier |
| Expertise | Soin |
| Force | Solution |
| Gagnant(e) | Tendresse |
| Innover | Terre |
| Instinct | Valeur |
| Juste | Victoire |

**2.** Utilisez le tableau ci-après pour noter vos impressions.

| Émotion | Mot déclencheur de pensée positive | Ressentir | Continuer |
|---------|-----------------------------------|-----------|-----------|
| Désespoir. | Simplifier. | Immédiatement je sens quelque chose se relâcher. | Je pense «simplifier» puis je choisis un autre mot : «prioriser». Peu à peu, je retrouve ce sentiment d'équilibre, de circulation à l'intérieur de moi, qui me fait reprendre le cours de ma vie. |
| | | | |
| | | | |
| | | | |

## Commentaire

Savoir nous gérer dans nos émotions, c'est prendre la responsabilité de ce que nous ressentons et avoir des moyens à notre disposition pour changer notre fréquence émotionnelle interne, et nous conduire là où nous nous sentons stables et confiants. En utilisant des mots déclencheurs de bien-être, vous changez votre fréquence interne. C'est le premier geste de la phase 5.

Vous agrandirez cette liste avec vos propres mots déclencheurs, au fur et à mesure de leur découverte, et mesurerez leur véritable impact positif sur vous.

# Exercice •36• Baromètre au beau fixe

Vous venez de vous exercer avec les mots déclencheurs, vous allez maintenant poursuivre avec la pensée de poussée positive. Rien de tel que des mots et des pensées d'actions concrètes et positives pour inverser la tendance. Le baromètre monte en quelques minutes d'une émotion négative à une plus positive. Pratiquez cet exercice lorsque la colère monte, vous vous sentez mieux tout à coup !

Lorsque la colère arrive, suivez le processus jusqu'aux mots déclencheurs, puis appliquez la pensée de poussée positive.

Situation :

*Je téléphone à mon fournisseur Internet car ma ligne ne fonctionne plus depuis hier. La conversation se passe mal et je sens la colère qui monte. Je raccroche.*

_____

_____

Je ressens de la colère.

Je m'arrête, je respire et me relaxe rapidement. Plus détendu, j'observe la colère : elle est localisée dans mon ventre, ma poitrine et mes mâchoires. Je la questionne avec les cinq pourquoi.

**Pourquoi ?** *Parce que la personne du service à la clientèle au téléphone n'entend pas ce que je lui dis.*

**Pourquoi ?** *Parce qu'elle me récite un discours appris.*

**Pourquoi ?** *Parce que en tant que client je suis a priori dans mon tort.*

**Pourquoi ?** *Parce qu'il n'y a pas de volonté d'écouter et de satisfaire le client une fois la vente faite.*

**Pourquoi ?** *Parce que c'est la politique de cette société.*

Pourquoi ? _____

_____

Pourquoi ? _____

_____

Pourquoi ? _____

_____

Pourquoi ? _____

_____

Pourquoi ? _____

_____

Donc :

*Je ressens de la colère parce qu'on ne m'écoute pas jusqu'au bout. Je ne me sens pas respecté en tant que client dans l'expression de mon besoin.*

---------------------------------------------

---------------------------------------------

Mots déclencheurs :

*Besoin, relation, confiance, écoute.*

---------------------------------------------

Pensée de poussée positive :

*Je choisis de comparer plusieurs autres opérateurs afin de trouver celui qui valorise la satisfaction du client, qui propose un service après-vente et qui communique avec respect avec ses clients. Cette décision me libère instantanément de la colère, me rend acteur, et je me sens libre et joyeux à cette perspective.*

---------------------------------------------

---------------------------------------------

## Commentaire

Voici le deuxième geste de l'étape 5, la pensée de poussée positive. Ce moment très important va créer dans votre cerveau de nouvelles connexions et mettre en perspective une solution satisfaisante. Le cerveau va donc libérer des hormones de satisfaction : l'endorphine, qui va se répandre dans tout le corps. La tendance est inversée, le corps et le mental vont pouvoir retrouver leur état d'équilibre.

# Exercice •37• L'île intérieure

Qui n'a pas rêvé, en plein cœur de la tourmente, de partir sur une île déserte, loin de tout, pour retrouver cette paix que la nature nous offre de façon inconditionnelle. Avec la pratique qui va suivre, chaque fois que vous en aurez besoin, vous saurez retrouver la paix de votre île intérieure.

> Après avoir pratiqué une relaxation pour détendre votre corps, le dos bien droit, croisez vos chevilles et vos mains, et visualisez votre île. Savourez la paix qu'elle vous procure.

*J'arrive sur mon île, je pose mes pieds nus sur le sol et je me sens déjà en parfaite sécurité. Je prends ce petit sentier de sable, qui serpente doucement vers le centre de l'île. De chaque côté du sentier, des arbustes fleuris aux senteurs délicates et fruitées éveillent mes sens. Je savoure ces parfums. Les chants des oiseaux célèbrent mon arrivée, et je me sens plein de joie. Il fait chaud et le ciel est d'un bleu magnifique. Cette lumière inonde mon corps et le nourrit en profondeur. Le sentier s'enfonce vers le centre de l'île, la végétation devient plus dense et la forêt de bambous m'apporte sa douce fraîcheur. Bientôt, j'aperçois la petite maison de bois, sur pilotis. Je gravis les quelques marches et je me retrouve sur le balcon qui fait le tour de la maison. Un transat me tend les bras et m'invite à me poser sur son moelleux matelas pour contempler le paysage. J'accepte l'invitation ! En quelques minutes, mon corps et mon esprit se sont totalement détendus. Tous mes sens prennent maintenant le relais, et c'est un véritable festival de sensations qui se succèdent en moi (odeurs, couleurs, sons, mouvements…).*

*Peu à peu, ces sensations s'atténuent elles aussi, et il ne reste plus que le calme. Le grand calme en moi et autour de moi. C'est cette paix que j'aime venir trouver sur mon île. J'y suis parfaitement bien et je savoure cet instant de pur silence.*

*Puis, à mon rythme, je prends quelques profondes respirations, je décroise les mains et les jambes, je m'étire, je bâille si besoin, j'ouvre les yeux et je reviens au contact de la pièce dans laquelle je me trouve. Je porte en moi les bénéfices de cette visite à mon île intérieure. Bénéfices dont je vais profiter pour le reste de ma journée et des jours à venir.*

## Commentaire

En croisant les chevilles et les doigts des mains, le corps adopte une posture d'ancrage. Votre visualisation va s'inscrire en profondeur. Elle sera reliée à votre posture. Chaque fois que vous adopterez cette posture, vous retrouverez facilement et rapidement les sensations de bien-être.

# Exercice •38• La scène positive

Les sportifs sont familiarisés avec l'exercice qui va suivre. Ils l'utilisent pour se préparer à une compétition, améliorer leurs performances et gérer leur stress. La pratique qui vous est proposée ici vous permet de vous rappeler et de ressentir, dans votre corps et votre mental, des émotions de grande satisfaction, des émotions positives. À pratiquer sans modération !

Après avoir pratiqué une relaxation pour détendre votre corps et votre mental, le dos droit, vous croisez les chevilles et les mains. Puis, vous visualisez une scène dans laquelle vous étiez profondément satisfait, dans une situation où tout s'est magnifiquement passé pour vous, et où vous étiez dans un total état de bien-être. Vous noterez ensuite ci-après le contexte et votre ressenti.

*Je me suis rappelé la dernière fois où j'ai pris quelques jours de repos, alors que l'activité professionnelle battait son plein, que mon agenda était surchargé et que je tenais ce rythme depuis plusieurs semaines.*

*Ces trois jours m'ont permis de prendre du recul, de m'amuser, de changer d'environnement, de rythme, et de me reposer. Je ressens les effets en moi : plénitude, joie et force.*

*Au niveau personnel, j'ai savouré ce moment exceptionnel, et au niveau professionnel, il y a eu d'heureuses surprises : un nouveau client, un problème qui a été résolu, de nouvelles idées…*

À vous :

_____

_____

_____

_____

_____

_____

## Commentaire

La scène positive, qu'on nomme aussi « ancre », nous rappelle ce qui se passe en nous lorsque nous sommes heureux, satisfaits, lorsque nous sommes confiants, lorsque nous avons réussi. C'est une pratique qui nous permet de recontacter les émotions positives et de nous placer dans un état interne positif. Une pratique régulière permet de créer soi-même les conditions de son bien-être, grâce à cet état interne choisi. Je me rappelle cet état de grand bien-être, et je sais comment y retourner chaque fois que j'en ai besoin.

# 6

•

# Retrouver son équilibre émotionnel

Vous savez maintenant gérer le processus en totalité dans ses cinq phases.

1. Je m'arrête.
2. Je respire et je détends tout mon corps.
3. Je dialogue avec l'effet de l'émotion : acceptation et baisse de son importance.
4. Je nomme l'émotion et j'applique les cinq pourquoi et le donc.
5. J'inverse la tendance : mots déclencheurs, pensée de poussée positive, l'ancre.

Nous arrivons, dans ce chapitre, à une étape d'entraînement spécifique, dans laquelle vous allez affiner la maîtrise de vous-même : des pratiques de gestion pour six émotions que nous rencontrons fréquemment dans notre vie quotidienne : la peur, la jalousie, le besoin de revanche, le découragement, le doute, la frustration.

L'exercice **n° 39**, très court, a pour but de vous relaxer avant de rentrer dans le processus de gestion des émotions négatives.

Les exemples de gestion de ces six émotions vous offrent une feuille de route que vous pouvez reprendre à votre compte, lorsque vous serez face à l'une d'elles. Je vous conseille d'écrire le processus, ce qui vous permettra de l'intégrer. Il vous fournira une belle occasion de comprendre le message de l'émotion et surtout d'inverser la tendance pour que la vie en vous se rééquilibre et continue de circuler librement.

## Exercice •39• Relaxation rapide

Faites une relaxation rapide, confortablement installé, jambes et bras décroisés, les dents ne sont pas en contact, la pointe de la langue est au palais.

Grâce à une expiration tranquille et calme, je vais relâcher la musculature de mon corps. Je commence par détendre le cuir chevelu, du sommet du crâne jusque dans la nuque, puis jusqu'aux oreilles. Je relâche la musculature du front, des yeux, des pommettes, des joues, du nez, des lèvres, du menton, de la gorge et de la poitrine.

À l'expiration, je relâche maintenant les muscles de la nuque, ceux des épaules, les trapèzes, je continue avec les muscles des bras, des avant-bras, des paumes des mains, du dessus des mains jusqu'au bout des doigts. Je ressens le bénéfice de la détente dans mes membres supérieurs.

Puis, je relâche à l'expiration la zone de la poitrine, celle de l'estomac, plusieurs fois ; ensuite je descends dans l'abdomen, le ventre et jusqu'au bas-ventre puis je détends tout le dos. J'apprécie la détente de la partie centrale de mon corps.

Je détends les muscles fessiers durant quelques expirations, puis les muscles des cuisses, des mollets, de la voûte plantaire, du dessus des pieds jusqu'aux orteils.

C'est maintenant la totalité des muscles de mon corps qui sont détendus.

### Commentaire

Par une rapide relaxation, vous faites lâcher dans votre corps les contractions que l'émotion occasionne. Vous pouvez ensuite aborder l'émotion plus sereinement.

# Exercice •40• Peur de rien!

Je sens mon corps totalement détendu et je peux observer la peur qui est localisée dans ma poitrine. Je ressens de la peur.

Pourquoi?

*Parce que je dois quitter mon logement actuel.*

_____

_____

Pourquoi?

*Parce que je ne peux plus assumer son loyer.*

_____

_____

Pourquoi?

*Parce que je n'ai plus assez de revenus.*

_____

_____

Pourquoi?

*Parce je n'ai pas d'activité régulière.*

_____

_____

Pourquoi?

*Parce que je suis travailleur autonome.*

_____

_____

Donc:

*Ça ne marche pas, je n'y arrive pas.*

_____

_____

Mots déclencheurs:

*Prioriser, sécuriser, passion.*

_____

_____

Pensée de poussée positive:

*Je choisis ce qui est important pour moi maintenant. Continuer à développer cette activité qui est ma passion. Je quitte ce logement pour en trouver un autre plus adapté à mes revenus actuels. Je décide de passer à l'action: faire les petites annonces, envoyer un courriel à mon réseau pour faire savoir ce que je cherche et mettre une alerte sur des sites d'agences de location.*

_____

_____

Je m'ancre:

*Chevilles et doigts des mains croisés, je me visualise en train d'emménager dans mon nouvel appartement. Il est lumineux et calme. Je suis serein. J'ai pris une bonne décision, je me sens en sécurité, soulagé et libre pour me concentrer sur mon activité, ma passion.*

---

---

## Commentaire

Entrer dans la peur permet de comprendre le vrai message. La peur que nous ressentons, la plupart du temps, ne recouvre rien de réel. Rien ne nous menace ni ne nous met en danger véritablement. Il s'agit d'une pensée de peur qui est reliée, bien souvent, à la notion de performance (assez bon, assez fort, assez rapide, assez bien…).

## Exercice •**41**• Fini la jalousie!

Après une relaxation rapide, vous entrez en contact avec l'émotion de la jalousie. Suivez le processus ci-dessous.

Je sens mon corps totalement détendu, et je peux observer la jalousie qui est localisée dans ma gorge et mes mâchoires.

Je ressens de la jalousie.

Pourquoi?

*Ma collègue vient d'avoir une promotion et on ne m'a rien proposé.*

---

---

Pourquoi?

*Parce qu'elle passe beaucoup de temps au travail, il n'y a que ça qui compte pour elle dans sa vie. Moi je fais mes heures normales.*

_____

_____

Pourquoi?

*Parce que ma priorité, c'est ma famille.*

_____

_____

Pourquoi?

*Parce que je suis totalement moi-même à la maison, et qu'il y a de l'amour, de la confiance, de la complicité.*

_____

_____

Pourquoi?

*Je suis reconnu en tant que conjoint et parent, on m'aime.*

_____

_____

Donc:

*Je ne suis pas reconnu dans mon travail, on ne m'aime pas. Ma collègue, elle, est aimée et je l'envie, je la jalouse.*

_____

_____

Mots déclencheurs :

*Priorité, accepter, bienveillance.*

---

Pensée de poussée positive :

*Je donne la priorité dans ma vie à ma famille, c'est là que je m'épanouis le plus car je suis reconnu et aimé, et cela me rend profondément heureux. Pour ma collègue, elle vit cela dans le milieu professionnel, c'est son espace à elle pour le vivre. Je me réjouis pour elle, qu'elle puisse elle aussi être heureuse.*

---

---

Je m'ancre :

*Chevilles et doigts des mains croisés, je me visualise chez moi, avec ma famille. L'ambiance est paisible et joyeuse. Je visualise ma collègue de travail épanouie dans son nouveau poste. Je nous vois discuter de ce qui nous rend vraiment heureux dans nos vies. Notre échange est joyeux et sincère.*

---

---

## Commentaire

Entrer dans la jalousie nous offre l'occasion de comprendre ce que nous comparons. Cela nous invite à apprécier ce que nous avons, et à valoriser nos choix. Cela nous permet de partager les réussites, le succès et le bonheur pour chacun, qui ne prend pas la même forme, et ne se trouve pas au même endroit.

# Exercice •42• Le retour de la revanche

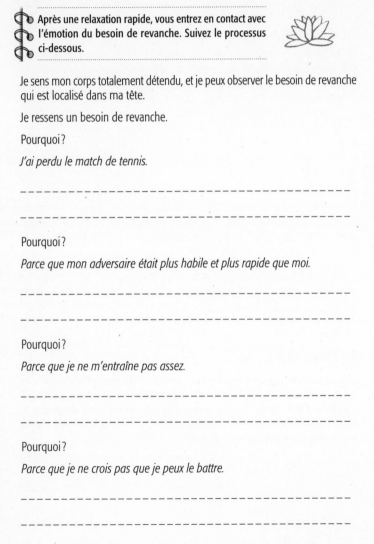

Je sens mon corps totalement détendu, et je peux observer le besoin de revanche qui est localisé dans ma tête.

Je ressens un besoin de revanche.

Pourquoi ?

*J'ai perdu le match de tennis.*

_____

_____

Pourquoi ?

*Parce que mon adversaire était plus habile et plus rapide que moi.*

_____

_____

Pourquoi ?

*Parce que je ne m'entraîne pas assez.*

_____

_____

Pourquoi ?

*Parce que je ne crois pas que je peux le battre.*

_____

_____

Pourquoi ?

*Parce que je me sens plus faible que lui.*

_____

_____

Donc :

*Je veux prendre ma revanche pour me prouver et lui prouver que c'est possible.*

_____

_____

Mots déclencheurs :

*Rebondir, potentiel.*

_____

Pensée de poussée positive :

*Je décide de m'inscrire à un programme d'entraînement sur toute l'année, pour me donner toutes les chances et être fin prêt pour les matches de la saison prochaine. C'est important pour moi de savoir si je peux dépasser mes limites actuelles, sortir de ma zone de confort pour accéder à mon potentiel. C'est le seul moyen de le savoir.*

_____

_____

Je m'ancre :

*Chevilles et doigts croisés, je me visualise faire un bon entraînement et progresser tout au long de l'année. Je vois le match, et je me vois faire les gestes gagnants et remporter le match l'année prochaine. Je ressens la chaleur et l'excitation de la victoire et de la joie. Mes amis et ma famille viennent m'embrasser et me féliciter. Je suis bien et heureux.*

## Commentaire

Entrer dans l'émotion du besoin de revanche, c'est comprendre que nous voulons quelque chose : la victoire ! Une force en nous, nous dit que nous pouvons y accéder. C'est une émotion que les sportifs connaissent bien. L'énergie de cette émotion, lorsqu'elle est bien utilisée, nous permet de nous dépasser, de sortir de notre zone de confort, pour aller plus loin, vers notre succès.

## Exercice •43• Découragement zéro

Après une relaxation rapide, vous entrez en contact avec l'émotion du découragement. Suivez le processus ci-dessous.

Je sens mon corps totalement détendu, et je peux observer le découragement qui est localisé dans mon plexus, mes épaules et ma gorge qui se noue.

Je ressens de la colère.

Pourquoi ?

*Parce que je ne trouve pas la maison que je cherche à acheter.*

_____

_____

Pourquoi ?

*Parce que mes exigences et le budget alloué ne sont pas en phase.*

_____

_____

Pourquoi?

*Parce que j'ai un idéal de maison.*

---------------------------------------------

---------------------------------------------

Pourquoi?

*Parce que je rêve.*

---------------------------------------------

---------------------------------------------

Pourquoi?

*Parce que je vois le résultat final.*

---------------------------------------------

---------------------------------------------

Donc:

*Je me décourage car je ne trouve pas la maison qui correspond à cette vision finale!*

---------------------------------------------

---------------------------------------------

Mots déclencheurs:

*Réalisme, confiance.*

---------------------------------------------

---------------------------------------------

Pensée de poussée positive :

*J'imagine les étapes qui vont me permettre de réaliser mon rêve (travaux, délais, financement). Ainsi, je me donne les moyens de trouver la maison qui deviendra, avec le temps, celle de mes rêves, et je retrouve ma capacité d'action.*

_____

_____

Je m'ancre :

*Assis, je croise mes chevilles et les doigts de mes mains, et je visualise la maison de mes rêves. Je vois le jardin et ses arbres. Je visite l'intérieur, l'ambiance qui y règne, le mobilier, les pièces. Je vois mes amis qui sont là pour la crémaillère. Je ressens le bonheur qui m'envahit d'avoir réalisé mon rêve.*

## Commentaire

Entrer dans le découragement nous fait comprendre que quelque chose est dysfonctionnel malgré l'investissement engagé. Cette émotion nous invite à considérer la situation dans son ensemble afin de se mobiliser sur ce qui va pouvoir la faire progresser, par étapes, en tenant compte de la réalité et de ce qui est possible. C'est accepter ce qui est, et faire preuve de créativité et de patience pour parvenir à atteindre son objectif.

# Exercice •44• Plus aucun doute

Après une relaxation rapide, vous entrez en contact avec l'émotion du doute. Suivez le processus ci-dessous.

Je sens mon corps totalement détendu, et je peux observer le doute qui est localisé dans mon abdomen et ma tête. Tout semble sens dessus dessous dans mon ventre et ma tête.

Je ressens du doute.

Pourquoi?

*Je n'arrive pas à prendre de décision.*

------------------------------------

------------------------------------

Pourquoi?

*Parce que j'ai en moi des messages contradictoires.*

------------------------------------

------------------------------------

Pourquoi?

*Parce que je suis partagé entre persister dans la situation ou bien changer de cap.*

------------------------------------

------------------------------------

Pourquoi?

*Parce que je ne vois que deux options possibles.*

------------------------------------

------------------------------------

Pourquoi?

*Parce que je n'en parle avec personne.*

------------------------------------

------------------------------------

Donc :

*Je laisse les choses en l'état et rien ne change.*

_____

_____

Mots déclencheurs :

*Partager, ouvrir, imaginer.*

_____

Pensée de poussée positive :

*Je choisis de faire le point sur la situation et d'en parler à mes amis. De là, de nouvelles perspectives vont s'ouvrir. Je vais sortir de l'impasse et aller de l'avant. Je vais appeler mon meilleur ami tout à l'heure.*

_____

_____

Je m'ancre :

*Assis, je croise les chevilles et les doigts de mes mains, et je me visualise avec ma bande de copains que j'ai invités à la maison. On est en train de prendre un verre et je leur explique ma situation et le doute qui m'envahit. Je nous vois en train de parler activement, rire, et je ressens du bien-être. Je suis content de partager ma préoccupation avec eux, cela nous rapproche et renforce notre amitié. C'est bien.*

## Commentaire

L'émotion du doute nous invite à considérer notre paysage de vie et les ancrages que nous y avons. Lorsque nous ressentons le doute, c'est que quelque chose dans notre vie mérite d'être considéré et que nous manquons d'informations. Le doute vient aussi nous montrer que nous nous installons dans un choix limité de solutions qui ne nous conviennent pas, ou qui sont trop insécurisantes. Il est bon d'avoir toujours au moins trois options pour prendre une décision. Faites preuve de créativité et parlez-en avec d'autres, allez recueillir de l'information complémentaire.

# Exercice •45• À bas la frustration !

Après une relaxation rapide, vous entrez en contact avec l'émotion de la frustration. Suivez le processus ci-dessous.

Je sens mon corps totalement détendu, et je peux observer la frustration qui est localisée dans mon estomac et ma poitrine.

Je ressens de la frustration.

Pourquoi ?

*Je ne vis pas où je veux, j'ai suivi mon conjoint qui a été muté.*

\_ \_ \_ \_ \_ \_ \_ \_ \_ \_ \_ \_ \_ \_ \_ \_ \_ \_ \_ \_ \_ \_ \_ \_ \_ \_ \_ \_ \_ \_

\_ \_ \_ \_ \_ \_ \_ \_ \_ \_ \_ \_ \_ \_ \_ \_ \_ \_ \_ \_ \_ \_ \_ \_ \_ \_ \_ \_ \_ \_

Pourquoi ?

*Parce que je n'ai pas eu le choix.*

\_ \_ \_ \_ \_ \_ \_ \_ \_ \_ \_ \_ \_ \_ \_ \_ \_ \_ \_ \_ \_ \_ \_ \_ \_ \_ \_ \_ \_ \_

\_ \_ \_ \_ \_ \_ \_ \_ \_ \_ \_ \_ \_ \_ \_ \_ \_ \_ \_ \_ \_ \_ \_ \_ \_ \_ \_ \_ \_ \_

Pourquoi ?

*Parce que je ne suis pas décideur.*

\_ \_ \_ \_ \_ \_ \_ \_ \_ \_ \_ \_ \_ \_ \_ \_ \_ \_ \_ \_ \_ \_ \_ \_ \_ \_ \_ \_ \_ \_

\_ \_ \_ \_ \_ \_ \_ \_ \_ \_ \_ \_ \_ \_ \_ \_ \_ \_ \_ \_ \_ \_ \_ \_ \_ \_ \_ \_ \_ \_

Pourquoi ?

*Parce que je dois m'adapter à la situation.*

---

---

Pourquoi ?

*Parce que je n'ai plus réellement d'orientation.*

---

---

Donc :

*Je suis frustré par ce que je vis actuellement, je n'ai pas d'action dessus, je le subis.*

---

---

Mots déclencheurs :

*Passion, communiquer.*

---

Pensée de poussée positive :

*Je prends le temps de considérer ce qui est important pour moi, dans la ville où je suis maintenant. Je fais la liste de ce que j'aime faire. Je décide de faire un bilan de compétences. J'en parle avec mon conjoint et je lui fais part de ce qui se passe en moi, de ce que je ressens et des idées que j'ai pour rebondir.*

---

---

Je m'ancre :

*Assise, chevilles et doigts des mains croisés, je me visualise en train d'écrire ce que j'aimerais faire, ce qui m'anime dans la vie. Puis, je me vois en train de discuter avec mon conjoint. Notre discussion est intime et ouverte. Il comprend, il me soutient dans ce que je veux entreprendre. Je me sens bien. Je me vois déjà m'activer et téléphoner au centre local d'emploi. C'est plein de vie et plein d'espoir. Je suis joyeux, je l'embrasse.*

## Commentaire

La frustration vient délivrer un message qui indique que nous sommes empêchés, freinés dans le mouvement de notre vie. Pour rétablir la libre circulation de la vie en nous, il nous faut être au volant de notre destinée. C'est par la communication avec nos proches, ou avec notre entourage professionnel, que nous trouverons ensemble les solutions pour que chacun vive ce qui l'anime, ce qui l'intéresse, dans le respect de son propre rythme.

# 7

.

# Interagir avec les autres

Nous voici parvenus à l'ultime étape de cet ouvrage.

Jusque-là, vous vous êtes entraîné, seul avec vous-même, dans le calme et la sécurité de votre environnement personnel. Vous avez compris les principes du fonctionnement des émotions, vous savez désormais mieux les gérer pour retrouver progressivement un sentiment de bien-être.

Voici venu le moment d'interagir avec les autres, sans rien perdre de votre savoir-faire. Bien au contraire, vous allez affiner votre style et devenir maître dans l'art de gérer vos émotions, en conscience, lorsque les émotions se présentent chez vous, comme chez l'autre.

C'est dans l'interaction avec les autres, et dans les diverses situations de la vie, que la valse des émotions nous entraîne.

Il y a cinq rythmes d'émotion : calme, fluidité, alternance, chaos, enthousiasme. Vous allez les pratiquer un à un dans les exercices qui suivent. C'est un angle très efficace pour comprendre comment l'émotion s'exprime dans l'interaction avec les autres.

# Exercice •46• Calme, paix et sérénité

Essayez d'identifier le rythme calme lors d'une interaction et notez vos observations dans le tableau ci-dessous.

| Situation | Interaction | Rythme émotionnel | Impact |
|-----------|-------------|-------------------|--------|
| Je passe un week-end au bord de la mer avec mon meilleur ami. | Nous sommes heureux de ce moment. Nous partageons notre temps entre lecture, préparation des repas, balades sur la plage, dégustations. | Calme. | Paix.<br>Sérénité.<br>Sécurité.<br>Confiance.<br>Les émotions sont au repos.<br>Grand sentiment de bien-être pour chacun. |
|  |  |  |  |

## Commentaire

Le rythme calme est celui de nos émotions au repos. Cet état de paix nous est offert de temps en temps. Sachez le savourer lorsqu'il se présente et sachez reconnaître les personnes avec qui il est possible de le partager.

# Exercice •47• Fluidité, découverte et partage

Essayez d'identifier le rythme fluidité lors d'une interaction et notez vos observations dans le tableau ci-dessous.

| Situation | Interaction | Rythme émotionnel | Impact |
|---|---|---|---|
| Avec mes deux enfants jeunes adultes, nous sommes venus passer une journée à Londres. | Nos cinq sens sont en éveil et nous découvrons la ville avec curiosité.<br>Les moments de pause au restaurant ou dans un café nous permettent d'échanger sur ce que nous vivons, et nous partageons les émotions qui nous traversent, les bonnes comme les mauvaises.<br>Nous choisissons notre programme au fur et à mesure, en fonction des envies et des besoins. | Fluidité. | Joie.<br>Découverte.<br>Partage.<br>Sécurité.<br>Compréhension.<br>Liberté.<br>Satisfaction mutuelle. |
|  |  |  |  |

## Commentaire

Le rythme fluidité est celui où les émotions peuvent se partager. Elles apparaissent, et se partagent en toute liberté, elles circulent entre nous et nous pouvons les recevoir simplement. Le rythme fluidité est le rythme le plus sain pour les relations.

## Exercice •48• Alternance, insécurité et instabilité

 Essayez d'identifier le rythme alternance lors d'une interaction et notez vos observations dans le tableau ci-après.

| Situation | Interaction | Rythme émotionnel | Impact |
|---|---|---|---|
| Je rentre du travail et je retrouve mon conjoint à la maison. J'ai eu une grosse journée et j'aspire au calme. Lui est plein d'énergie. | Nos états internes étant très différents, nous sommes traversés par des émotions d'agacement, d'irritation, d'ennui, voire de colère que nous nous reprochons. Nous essayons pendant le repas, de trouver un espace de calme ou de fluidité, mais il a bien du mal à s'installer. | Alternance. | Instabilité. Renforcement des émotions négatives. Insécurité. Ressentiment. Manque d'énergie. |
| | | | |

## Commentaire

L'alternance est un mode courant, qui peut devenir destructeur si son rythme s'intensifie car il épuise les interlocuteurs. Il peut malheureusement devenir un mode de relation. Les interactions se font sur la base d'une succession d'émotions négatives entrecoupées de moments de calme. Chacun faisant vivre à l'autre le rythme dans lequel il est ou dont il a besoin. Lorsque cela se présente, il est souhaitable d'en parler pour imaginer comment nous allons partager ce temps commun, avec des besoins différents.

# Exercice •49• La valse du chaos

Essayez d'identifier le rythme chaos lors d'une interaction et notez vos observations dans le tableau ci-dessous.

| Situation | Interaction | Rythme émotionnel | Impact |
|---|---|---|---|
| Je discute avec une équipe d'un problème important qui concerne la nouvelle organisation du service. | Tout le monde n'est pas content d'être là. Certaines personnes sont très négatives et résistantes à l'idée du changement qui se profile. Elles parlent sans écouter les autres, refusant de faire autrement, critiquant et insultant les responsables. Des personnes se mettent en colère, une autre quitte la salle de réunion, d'autres sont muettes. | Chaos. | Valse des émotions négatives. Boule dans le ventre ou l'estomac chez chacun. Cinq sens éteints. Réactions instinctives : fuite ou attaque. Confusion, situation de blocage, pas de prise de décision, pas de perspectives, avenir bouché et sombre. |

| Situation | Interaction | Rythme émotionnel | Impact |
|-----------|-------------|-------------------|--------|
|           |             |                   |        |
|           |             |                   |        |
|           |             |                   |        |
|           |             |                   |        |
|           |             |                   |        |

## Commentaire

Le rythme chaos se caractérise par une succession rapide d'émotions négatives. Dans l'interaction, cela se traduit par l'attaque, la surenchère, la critique, le jugement… Dans ce rythme effréné, c'est comme si tout le côté sombre de chacun se libérait d'un seul coup. Le résultat est un véritable champ de bataille, pour tous. Lorsque nous nous trouvons dans ce rythme, il faut agir radicalement pour stopper le processus. Aller seul, se mettre au calme (idéalement dans la nature) pour stopper le flux des pensées négatives et reprendre contact avec le calme en soi. De cette manière, nous créons une brèche dans l'activité mentale et émotionnelle.

# Exercice •50• Enthousiasmants échanges

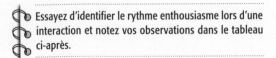

Essayez d'identifier le rythme enthousiasme lors d'une interaction et notez vos observations dans le tableau ci-après.

122

| Situation | Interaction | Rythme émotionnel | Impact |
|---|---|---|---|
| Je suis avec mon conjoint et nous discutons de notre projet de vacances. | Chacun de nous est heureux de consacrer un moment pour réfléchir à ce projet, imaginer le programme de nos vacances. Nos échanges sont pétillants, joyeux, chacun propose des idées, ses envies. | Enthousiasme. | Bonheur. Satisfaction mutuelle. Sentiment d'appartenance. Corps léger, vitalité. Sensoriel éveillé. Créativité, jeu, imagination. |
|  |  |  |  |

## Commentaire

Le rythme enthousiasme est celui dans lequel nos émotions sont au plus haut sur le baromètre. Cet état de joie favorise l'action, la satisfaction et l'état de complétude. C'est celui qui permet de faire ensemble et d'accomplir des merveilles !

# Conclusion

Vous l'avez compris, savoir gérer ses émotions, c'est accepter le mouvement et le rythme des saisons, de la diversité, de la différence qui est en chacun de nous.

C'est aussi accepter d'interagir plus souplement avec son environnement parce que vous savez vous gérer et diminuer l'importance des sensations (corps et pensées) qui vous traversent.

Rien n'est statique et rien n'est définitif. Vous ne resterez pas bloqué dans l'émotion de la colère, de la joie ou de la tristesse. Elles feront simplement partie de votre paysage, de votre scène, sur l'écran de votre mental et dans l'espace interne de votre corps, pendant un moment.

En pratiquant le processus de gestion dans ces différentes étapes, vous avez désormais les outils qui vous permettront de vous stabiliser plus rapidement et de devenir maître de vous-même, quelle que soit la situation.

Tout est question d'équilibre, de savoir revenir dans une posture d'ancrage où l'on peut reconsidérer les choses, progresser et s'épanouir avec bonheur sur le chemin de la vie.

# Pour aller plus loin...

Catherine Bensaid, *Aime-toi, la vie t'aimera*, Paris, Robert Laffont, 1992 (Pocket, 1994).

François Lelord et Christophe André, *La Force des émotions*, Paris, Odile Jacob, 2001.

Deepak Chopra, *Le Corps quantique*, Paris, Interédition, 1990 (J'ai lu, 2009).

Eckhart Tolle, *Le Pouvoir du moment présent*, Outremont (Québec), Ariane Éditions, 2000 (J'ai lu, 2010).

Mihaly Csikszentmihalyi, *Vivre : la psychologie du bonheur*, Paris, Robert Laffont, 2004 (Pocket, 2006).

Suivez les Éditions du Trécarré sur le Web :
www.edtrecarre.com

Cet ouvrage a été composé en Formata
et achevé d'imprimer en janvier 2014
sur les presses de Marquis Imprimeur, Québec, Canada.